Exhibition made possible by
the Swiss Friends of the Israel Museum (Zurich)

Catalogue made possible by
Judy and Michael Steinhardt

The Israel Museum, Jerusalem

On the Road to Edom
Discoveries from ‘En Ḥaẓeva

Rudolph Cohen Yigal Yisrael

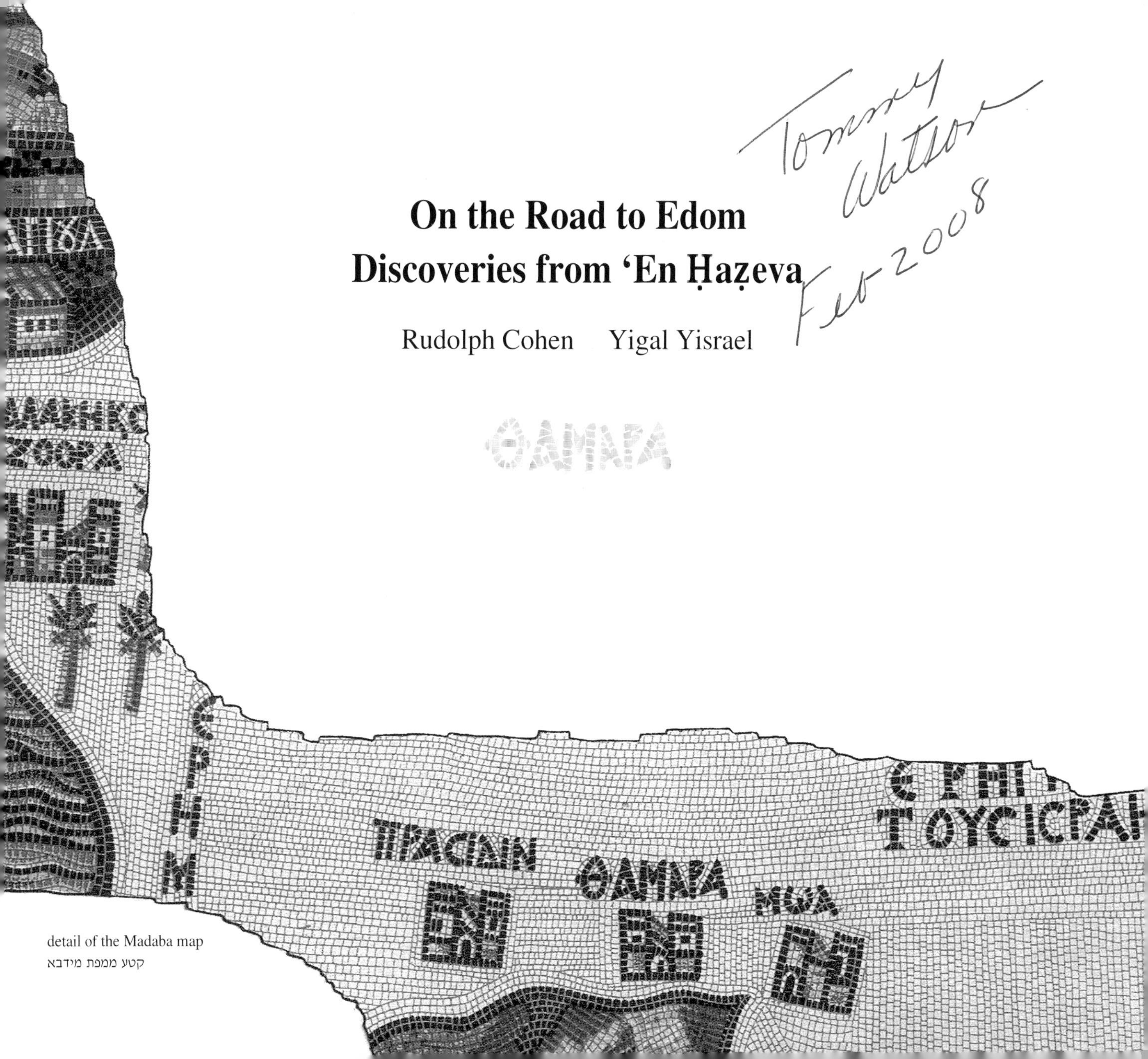

detail of the Madaba map
קטע ממפת מידבא

The Israel Museum, Jerusalem

On the Road to Edom
Discoveries from ‘En Ḥaẓeva

Spertus Gallery, Summer 1995

Curator in charge: Michal Dayagi-Mendels
Assistant to the curator: Shlomit Cohen

Catalogue design: Anat Van Dijk-Keisar
English translation: Lindsey Taylor-Guthartz –
Sagir International Translations Ltd.
Editing: Anna Barber
Photographs: Avraham Hay, Zila Sagiv,
Nachshon Sneh, Clara Amit
Plans and drawings: Dov Poretzki

Exhibition design: Halina Hamou
Assistant to the designer: Riveka Myers
Translation of exhibition texts: Nancy Benovitz

Catalogue production: Ronny Rausnitz
Color separations: Scanli Ltd., Tel Aviv
Plates: Tafsar L. 1991 Ltd., Jerusalem
Printed by Kal Press Ltd., Tel Aviv
Bound by Cordoba Binding Co. Ltd., Holon

Catalogue no. 370
ISBN 965 278 174 6

Contents

Sponsors of the Excavations at ‘En Ḥaẓeva: The Israel Antiquities Authority, the Negev Tourism Development Administration, and the Ministry of Labor and Social Affairs. The material from the excavations was processed and studied with the assistance of the Israel Antiquities Authority.

First Salvage Excavation (1972) directed by Dr. Rudolph Cohen

Expedition Staff (1987-1991): Dr. Rudolph Cohen, Director; assisted by Yigal Yisrael, Yeshayahu Lender, Pnina Shor, and Rivka Cohen-Amin
Scientific Assistant: Pnina Shor
Expedition Staff (1992-1994): Dr. Rudolph Cohen and Yigal Yisrael, Directors
Area Supervisors: Oded Feder, Eyal Tischler, Amir Gonen and Ya'aqov Kalman
Scientific Assistant: Avivit Gera (1987-1994)

Photography of Site: Nachshon Sneh, Sandu Mendrea (1993-1994)
Photography of Finds: Zila Sagiv, IAA
Surveying and Plans: Israel Watkin, Nissim Kolela, Dov Poretzki, Raz Niculescu, Valentin Shorr
Recording and Restoration: Olga Shorr (1987-1991), Shula Blankstein (1992-1994)
Restoration of the Edomite Cultic Vessels: Michal Ben-Gal

Participating in the excavations were volunteers from Israel and abroad, groups of volunteers from the USA including “The Blossoming Rose” under the supervision and coordination of Dr. De Wayne Coxon, and students from the Denmark Comprehensive High School, Jerusalem, under the supervision of their teacher-coordinator Shulamit Cohen.

Processing and Analysis of the Material: Rivka Cohen-Amin (1987-1992); Merav Zuaretz (1993-1994)
Drawing of Finds: Rachel Graff, Marina Keller, Leon Ryckman
Determination of Faunal Remains: Dalia Hakker, IAA
Determination of Botanical Remains: Dr. Mordechai Kislev
Tests and Identification of the provenance of the pottery finds: Dr. Yuval Goren, IAA
English Publications: Caren Greenberg

Foreword

Recent discoveries in the Negev and the south of Israel shed important light on the late First Temple period, revealing demographic and economic growth that reached a peak in the seventh century BCE. This florescence was characterized by the construction of way stations and fortresses along the highways and borders of the kingdom, as well as by international commerce, and apparently was related to the Assyrian conquest of Syro-Palestine and Assyria's efforts to procure as much trade as possible with the south. Assyria's uncontested rule over the entire region east of the Jordan, its peaceful relations with Egypt, and the suppression of nomadic tribes in the frontier regions allowed the Assyrians to impose a sort of *"pax assyriaca"* over the area subject to their rule. Alongside the increase in settlement and economic prosperity on the coast of Philistia and in the Judaean Negev, a similar, unprecedented, process of growth made its appearance in southern Transjordan, in the kingdom of Edom.

Edom was the southernmost kingdom of Transjordan. It extended from Naḥal Zered in the north down to the Red Sea in the south. On the east it was bordered by the Arabian Desert, and on the west by the Arava. Its principal cities were Buseirah, the kingdom's capital (which appears in the Bible as Boẓrah) in the north, Reqem (perhaps the modern Umm el-Biyara) in central Edom overlooking Petra, Sela (es-Sela), and Teiman (sometimes identified with Tawilan) in the south.

Most of our knowledge about this kingdom comes from the Bible, although Assyrian records provide some additional information. The area's poor soil seems to have spurred its inhabitants to make repeated attempts to penetrate regions better suited to agriculture. These attempts were accompanied by constant conflict between Edom and the kingdoms of Judah and Israel, as described in the Bible.

During the period of Assyrian hegemony, Edom adopted a policy similar to that of other Transjordanian peoples and submitted to the foreign yoke. In return, it seems that Assyrian army units guarded the kingdom's borders from threats from the east, while at the same time ensuring its loyalty. Edom participated in the flourishing trade that was made possible by regional stability under the protection of Assyria.

Edom's period of prosperity came to an end with the Babylonian victory over Assyria and the conquest of the entire Transjordanian region by Babylon. During the period of Babylonian rule, the king of Edom was one of the kings who met Zedekiah in Jerusalem, probably for the purpose of forming an alliance against Babylon (Jeremiah 27:3); nevertheless, after the fall of Judah in 587-586 BCE, the Edomites revived their ancient ambition of penetrating Judaean territory. Obadiah, who prophesied after the destruction of the Temple, made a searing attack on Edom, and over the course of time the Edomites became a symbol of enmity. Their kingdom was destroyed at the beginning of the sixth century BCE, probably by the Babylonians.

We know very little about Edomite culture, though recently more and more traces of it have been uncovered in excavations in Jordan, in the territory of the ancient Edomite kingdom, and in the Judaean Negev. Of particular interest are the ostraca (pottery fragments bearing inscriptions) from Arad, which clearly reflect Edomite incursions. Ostraca and a seal have been discovered at Ḥorvat ‘Uzza, Tel Aroer, and Ḥorvat Qitmit, inscribed in Edomite script and including personal names with the theophoric element *qos*, alluding to the Edomite god.

Remains of a fortress from the time of the Judaean monarchy have been discovered at ‘En Ḥaẓeva, which is situated on a hill near the southern bank of Naḥal Ḥaẓeva and has been identified with the Tamar mentioned in the Bible (Ezekiel 47:19). The most intriguing find, however, was an Edomite shrine from the First Temple period, built outside the fortress walls. Dozens of deliberately smashed cultic vessels made of clay and stone were uncovered here. Thousands of sherds have been pieced together with great care and devotion to reveal an astonishing assemblage of some seventy rare cultic vessels. They include modeled human figures, incense burners, chalices, altars, and pomegranates. Most striking are the anthropomorphic cylindrical stands that apparently represent priests or worshippers, who placed these statues in the shrine to represent themselves before the gods whose blessing and protection they desired.

Pottery incense burner from the Edomite shrine
מקטר חרס מן המקדש האדומי

The shrine at ‘En Ḥaẓeva is in all respects alien to Judaean culture, while the resemblance between the vessels found there and finds from the Edomite shrine at Ḥorvat Qitmit is remarkable. The phenomenon of cultic high places along trade routes is familiar from other sites, and it may be that this was a road-side shrine like that at Ḥorvat Qitmit, intended to call down blessings on caravan traders in their perilous journeys through the desert.

Because of the unique character of these important finds, we decided to bring them to the public direct from the excavation site, even before they have been fully studied and analyzed. Visitors are invited to ponder the various unresolved issues along with the archaeologists who are still studying these questions.

Most of the exhibition is devoted to a reconstruction of the shrine and its cultic vessels, with a special section presenting sculptures from the Edomite shrine at Ḥorvat Qitmit so as to provide a basis for comparison. Another section features Edomite inscriptions and inscriptions mentioning Edom, excavated at sites in the Negev. Finally, the finds from the fortresses of the First Temple and Roman periods have a section to themselves.

I am most grateful to the Israel Antiquities Authority and its director, Amir Drori, who agreed to let us display these important artifacts at such an early stage in their analysis. My warmest thanks are due to Dr. Rudolph Cohen, the excavation director, and the assistant director, Yigal Yisrael, as well as to Dr. Cohen's assistants, who helped us prepare the exhibition. Finally, I would like to thank the staff of the Israel Museum – the laboratory workers who prepared and set up the reconstruction, the Publications Department, the Exhibition Department, and Avraham Hay, who photographed the site and the objects for the catalogue.

Michal Dayagi-Mendels
Curator of the Israelite
and Persian Periods

Pottery incense burners
from the Edomite shrine
מקטרי חרס מן המקדש האדומי

Introduction

Upper part of a pottery incense burner from the Edomite shrine
חלקו העליון של מקטר חרס מן המקדש האדומי

Many important finds have been uncovered in the excavations conducted in recent years at ‘En Ḥaẓeva, situated in the heart of the Arava. Undoubtedly, the most unusual, impressive, and interesting of these are the group of “Edomite” cult vessels. More than seventy examples were unearthed in 1993, hidden in a pit near a long building that probably served as a shrine. Most were made of clay, though a few were of stone; they had been broken deliberately, and were found lying beneath the ashlars that had been used to crush them. Some of the vessels closely resemble Edomite finds unearthed in excavations at Ḥorvat Qitmit, about 45 km northwest of ‘En Ḥaẓeva. In order to clarify the uniqueness of the ‘En Ḥaẓeva vessels, they will be described in the wider context of archaeological research at the site, giving an account of the different periods in its history: beginnings, florescence, recurrent destruction, and reappearance on the stage of history.

The excavated finds from ‘En Ḥaẓeva show that the site was continuously occupied for hundreds of years, from the tenth to sixth centuries BCE. After being abandoned for a long time, it was reoccupied in the second century BCE, and then deserted again in the fourth century CE. Finally, there was a brief period of resettlement in the sixth-seventh centuries CE.

The excavations revealed six strata, the first three of which date from the First Temple period:

Stratum 6: Tenth century BCE
Stratum 5: Ninth-eighth centuries BCE
Stratum 4: Seventh-sixth centuries BCE
Stratum 3: Nabataean and Early Roman periods – first century BCE to first century CE
Stratum 2: Late Roman period – third-fourth centuries CE
Stratum 1: End of the Byzantine and beginning of the Early Muslim periods – sixth-seventh centuries CE

The site’s longevity is a sign of its importance, both during the period of the United Monarchy and the Judaean kingdom, and in the Nabataean and Roman periods. Its location on the border of Judah and Edom and at a crossroads leading west, northeast, and south turned it into a military and administrative center and the hub of major trade routes.

Its proximity to Edom, which extended eastwards from Naḥal Ha-arava, presents scholars with the thorny problem of the exact nature of the links between the finds and the various national and political entities. For example, it is difficult to determine who was responsible for construction of the fortresses from the period of the Monarchy, and whether they served the Israelite kingdom in Solomon's reign and then the kingdom of Judah, as we suppose, or were an Edomite center, as suggested by other scholars.

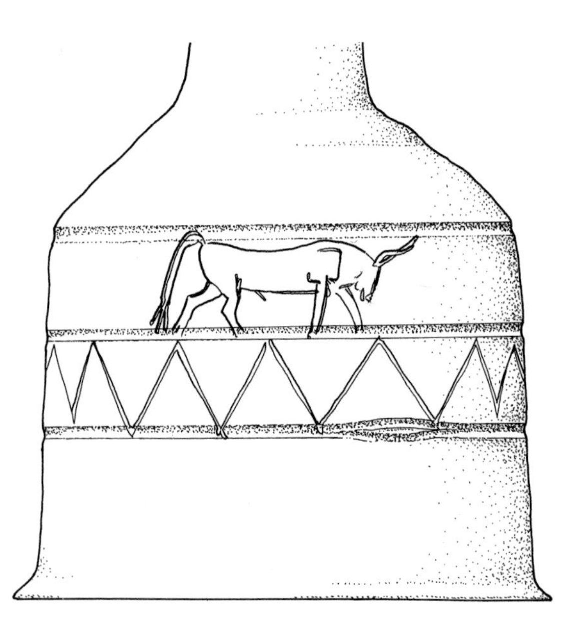

Pomegranate chalice, pottery, the Edomite shrine
קובעת רימונים מחרס
מן המקדש האדומי

Identifying the Site

The site of ‘En Ḥaẓeva lies on a hilltop to the west of a spring that bears the same name and is one of the most abundant water sources in the central Arava. A wealth of vegetation, including a jujube tree (*Ziziphus spina-christi*) renowned for its size and tremendous age, grows in the vicinity of the spring. The fortress at ‘En Ḥaẓeva stood at an important junction with roads leading from north to south and east to west. In the First Temple period (the Iron Age), it lay on the main route through the Arava, which led down to Eilat and the Red Sea; in the Nabataean period, it controlled the "Spice Route" that ran from the east to the Mediterranean Sea and to the road crossing it from north to south, which led in turn to Aila (Eilat); and in the Roman period, it lay on the road west to Mamshit and Aroer, the road northeast to the Dead Sea region and ‘En Boqeq, and ultimately ‘En Gedi and Jerusalem, and the road south along the Arava to Yotvata and the Eilat region.
Today, Kibbutz Ir Ovot is located near the site.
Since the nineteenth century, scholars traveling in the region have noticed ancient remains protruding from the ground near the spring. A. Musil, who visited the site in 1902, was the first to identify a square fortress, measuring 120 feet along each side, with projecting corner towers. He also noticed the remains of a structure with several rooms adjoining the fortress on the south, as well as traces of a bathhouse to the east. The fortress was damaged in 1930, partly destroying its original plan. Two years later, F. Frank identified the structure as a Roman fort. N. Glueck, who visited the site in 1934, believed it to be a caravanserai, originally built by the Nabataeans and later used during the Roman period. A. Alt was the first to suggest linking the Roman site Eseiba with Ein Husub (today's ‘En Ḥaẓeva), based on the linguistic similarity between the names. Eseiba appears in only one Roman sources – in the Edict of Beersheba, a list of places taxed annually by the authorities.
A new factor bearing on the site's identification came to light in 1950, when B. Mazar and M. Avi-Yonah found sherds from the First Temple period there, in addition to decorated Nabataean ware and Roman-Byzantine vessels.

In the wake of the discovery of these early sherds, and taking into account the site's location on the probable border between Edom and the kingdom of Judah, Y. Aharoni suggested that it should be identified with the biblical Tamar, mentioned in the Book of Ezekiel in the description of the southern border of Canaan: "And the Negev southward from Tamar to the waters of Meribot-Qadesh" (Ezekiel 47:19, 48:28),* and with the Tamara mentioned in a number of Roman sources.

In our opinion, the Iron Age fortresses uncovered by archaeological excavations conducted at the site since 1972, as well as other finds from this period and the numerous items dating from the Early and Late Roman periods, lend further support to Aharoni's proposal. Several ancient sources provide an indication as to the location of Roman Tamara. The *Tabula Peutingeriana* (a Roman road gazetteer from the second or fourth century CE) shows Tamara as a station on the road from Jerusalem to Eilat. A stretch of road leads to it, and the position is marked to the south of the Dead Sea. From there, the road continues into Transjordan. The *Onomasticon* (a list of places compiled by the historian Eusebius in the fourth century CE) records that Tamara is a day's walk from Mamshit, and that a "military garrison" is stationed there. Tamara is also marked on the mosaic map at Madaba in Transjordan, and is mentioned in the *Notitia Dignitarum* (a digest of the civilian and military hierarchy of the Roman

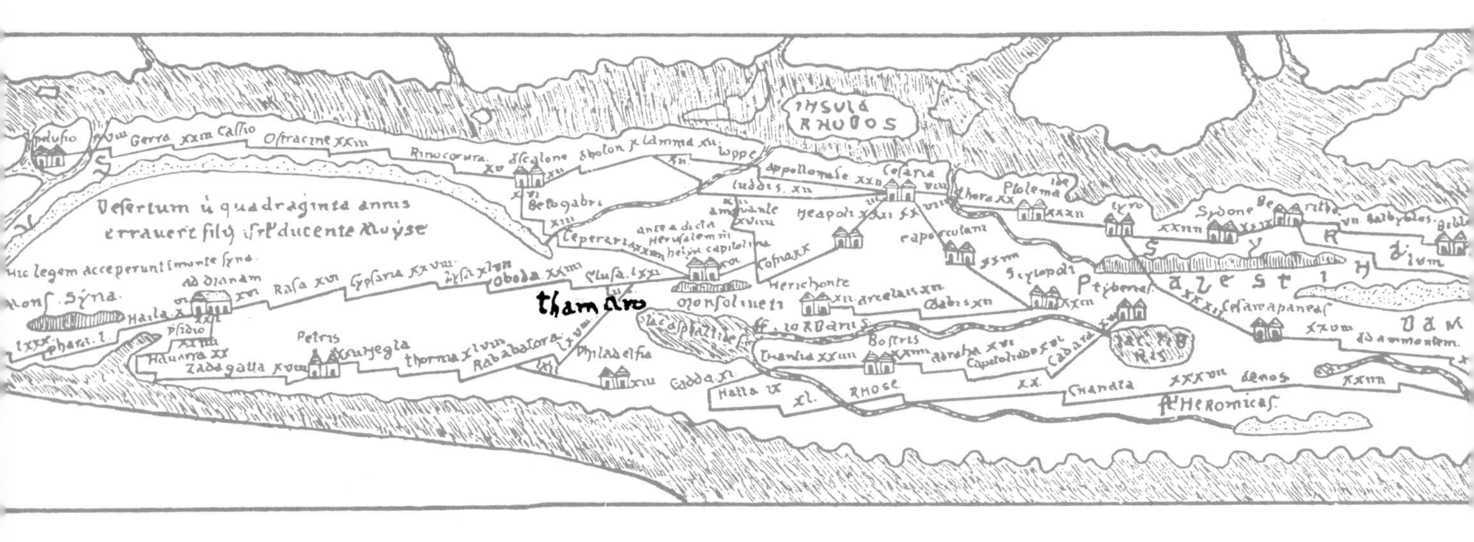

Tabula Peutingeriana
מפת פויטינגר

empire, dated to the beginning of the fourth century CE), and in the work of Ptolemy, a geographer of the second century CE.

* I Kings 9:17-18 records that King Solomon "built Tamar in the wilderness, in the land"; some scholars are of the opinion that a letter is missing here, and that the name should be "Tadmor," since the parallel description in II Chronicles 8:4 reads "Tadmor in the wilderness."

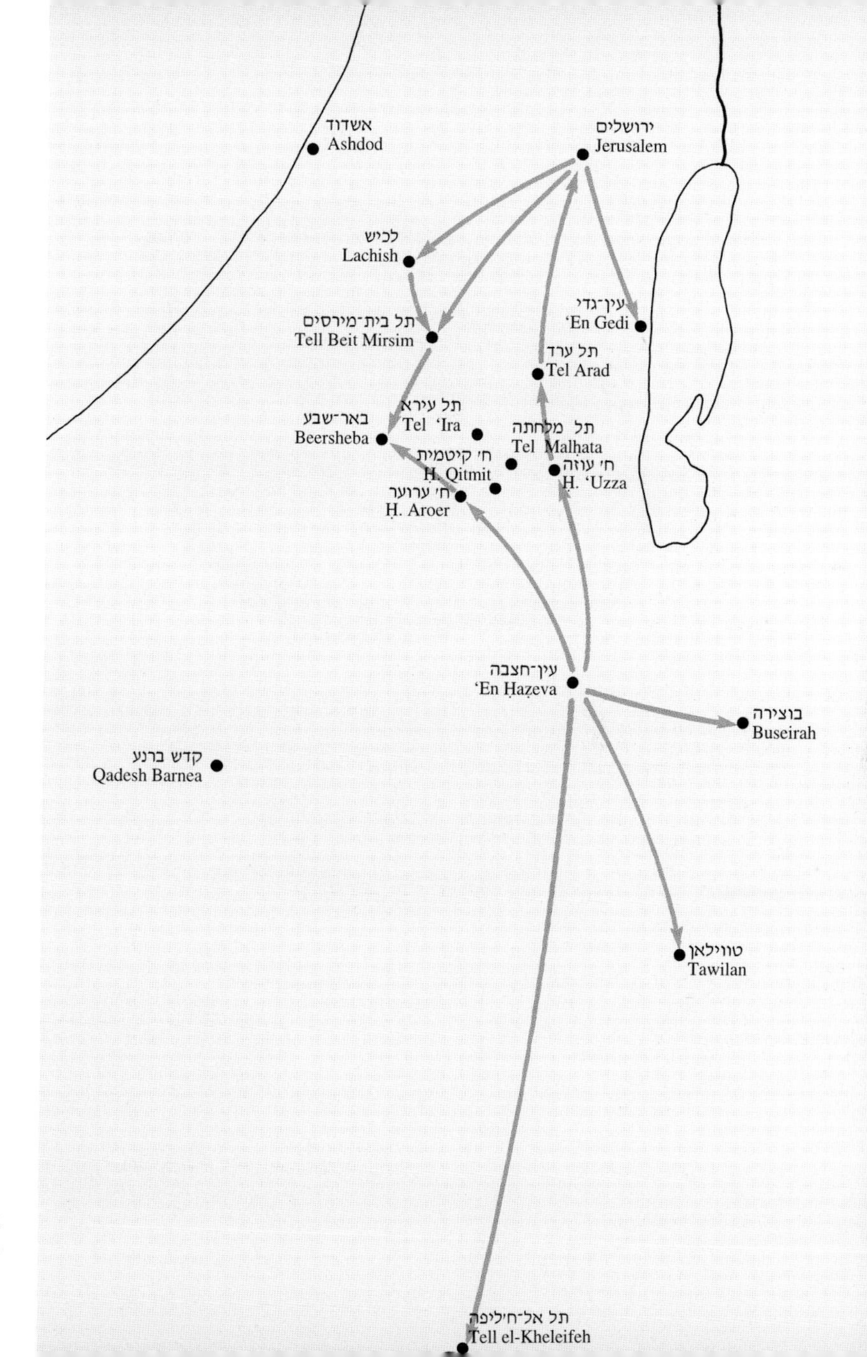

Road map, First Temple period
מפת דרכים, ימי הבית הראשון

Group of stone and pottery cult vessels
from the middle fortress,
First Temple period

מכלול כלי-פולחן עשויים אבן וחרס
מן המצודה התיכונה, ימי הבית הראשון

Remains from the First Temple Period

The Earliest Fortress
United Monarchy Period
Tenth century BCE

The excavations at the site have revealed that three fortresses were built here, one above the ruins of the other, during the Iron Age, from the tenth century to the destruction of the First Temple in 587 BCE.

The earliest known remains at the site come from a fortress built in the mid-tenth century BCE, during the reign of King Solomon. They were uncovered about 3.5 m below the ground surface, underneath the gate complex from the middle fortress (see below, p. 20).

The central unit of the fortress was a rectangular structure, measuring 13 x 11.5 m. Its southwestern corner is most impressive: built of layers of large silex blocks, it has been preserved to a height of more than a meter. The fortress's plan resembles that of a few other fortresses in the Negev highlands, and it seems reasonable to assume that it met the same fate as many of them – destruction during the punitive campaign waged by Pharaoh Shishak in Eretz Israel in the last quarter of the tenth century BCE.

A complete handmade clay cooking pot, of the type known as "Negbite" ware, was retrieved from the floor of the structure's southeastern room. Vessels of this type, dating from the tenth to early sixth centuries BCE, were found in the excavation of the fortress at Tell el-Kheleifeh and in the three fortresses at Tel Qadesh Barnea.

Handmade "Negbite" cooking pot, pottery, the earliest fortress
סיר בישול "נגבי" מחרס מן המצודה הקדומה

The Middle Fortress
Period of the Judaean Kingdom
Ninth-eighth centuries BCE

A large square Iron Age fortress was uncovered above the remains of the earliest fortress. Covering approximately 10,000 square meters, it was surrounded by a casemate wall, and towers have been revealed at three of the corners. This fortress is roughly four times the size of the great fortresses of the Negev, and is almost as large as contemporary fortified cities, such as that at Tel Beersheba. These impressive dimensions, together with the fact that the fortress gate faces north, raise the possibility that this was actually a Judaean fortified city rather than a fortress.
The lower courses of the wall were built of dressed stones, and may have been topped by courses of ashlars. The building stone (soft limestone) came from a quarry along Naḥal Ḥaẓeva, about 3 km from the site. The outer wall's offsets and insets are spaced about 10 m apart, with the gap between the outer and the inner wall producing casemate rooms.
The inner courtyard, the gate of the fortress, the storehouse, and the granaries were also uncovered, as were the rampart and moat that surrounded the fortress. Most of the casemate rooms uncovered were built along the north side of the fortress, on either side of the four-chambered gate, while only a few were uncovered on the other three sides. These rooms had no floors, and almost all of them were deliberately filled with earth. Some of the walls have been preserved to a height of 4 m and more, while another section was razed to the foundations, probably when stones were taken by robbers. For the time being, it is impossible to determine how many stages of construction the fortress underwent. However, it seems clear that the original building was relatively small, approximately 50 x 50 m, covering the area from the gate to the inner row of casemate rooms (the "gate complex"), and was subsequently enlarged to the west and south.
The fortress has a unique, complex plan that reflects two types of fortress design: the square type, surrounded by a thick offset-inset wall, similar to the fortresses at Tel Arad, Ḥorvat Tov, and Tell el-Kheleifeh; and the type with projecting towers, such as the two upper fortresses at Tel Qadesh Barnea and at Ḥorvat ʻUzza. In certain ways it resembles the fortress currently being excavated at Tel Yizreʻel, which was an important administrative center in the kingdom of Israel. Its plan also resembles that of the fortress at Tell el-Kheleifeh (Strata II-III), and it seems likely that they were both built at the same time.

Corner tower from the middle fortress, First Temple period
מגדל פינה של המצודה התיכונה, ימי הבית הראשון

The Gate Complex

The gate complex, which measures about 50 x 50 m, was located near the northeastern corner. Its plan differs from that of the rest of the fortress; it is constructed of well-dressed stones and has been preserved to a height of about 3 m. The four gate piers, each 2.5 m wide, are superbly built and very well preserved. The gate passage is wide at the beginning, with a narrowing towards its end, and is flanked by two chambers of identical size (2.5 x 3.3 m) and two massive "pillars" (2.5 x 3 m). It seems probable that these pillars served as the central support for wooden staircases resting on a stone base.

This is a four-chambered gate, a type that was common in fortifications in the country in the ninth-eighth centuries BCE. Part of its western side was destroyed down to the foundations in the Nabataean and Roman periods, at which time the stones were used for building the later fortresses at the site.

Some complete clay and stone vessels were retrieved from the two casemate-rooms to the west of the gate, including

Fortress gate, First Temple period
שער המצודה, ימי הבית הראשון

a number of types characteristic of the ninth-eighth centuries BCE: a cooking-pot, juglets, an amphora, and an Akhziv-type jug. Alongside this collection was a stone bowl placed on a stone stand; the stone bowl held a clay bowl containing, in turn, a clay lamp. Nearby stood a round stone, which may have been used as a *maẓẓebah* (cultic standing stone).

The Storerooms

Remains of three parallel walls were found near the inner southwestern corner of the gate complex, probably part of a storehouse containing three long narrow rooms. Each room was about 17 m long, and about 2 m wide. A long corridor separates this unit from the buildings to the north of it. No floors were found in the storehouse complex, and the remains of the rooms were filled with earth.

The Granaries

Two granaries were uncovered near the storehouse. One was approximately 3.5 m in diameter, built of undressed stones, and preserved to a height of about 0.5 m. On its plastered floor were found a jug, a large decorated flask, and charred remains of wheat and barley grains. The second granary, preserved to a height of about 1.2 m, featured an outer wall made of clay bricks. Its floor rests on the walls of the Stratum 6 structure; the space between them was filled with silex stones.

Granary, First Temple period
ממגורה, ימי הבית הראשון

Stone cosmetic bowl, First Temple period
קערית-תמרוקים מאבן, ימי הבית הראשון

Tracing the History of the Middle Fortress

During whose reign was this huge fortress built? It may have been constructed in the time of Jehoshaphat (867-846 BCE), when "there was no king in Edom, a deputy was king" (I Kings 22:48), in an unsuccessful attempt to repeat Solomon's achievements: "Jehoshaphat made ships of Tarshish to go to Ophir for gold, but they did not go, for the ships were wrecked at Eẓion-geber" (I Kings 22:49). Perhaps the fortress should be attributed to Amaziah son of Joash (798-769 BCE), who carefully fortified his kingdom and, after instituting reforms in the army, went to war with Edom and defeated the enemy in the Valley of Salt, in the northern Arava. Perhaps it was from this very fortress that Amaziah went out to wage war on the Edomites – or perhaps it was his son, Uzziah, the powerful, active king who "built Elot and restored it to Judah" (II Chronicles 26:2), fortified the borders of his kingdom with "towers in the desert" (v. 10), and (like his father) consolidated the army (v. 13), who built this fortress.

It is also possible that the struggle between the kingdoms of Israel and Moab played a role in the construction of the 'En Ḥaẓeva fortress: it may have been built in connection with the retaliatory campaign against Mesha, king of Moab (II Kings 3:4-27), whose rebellion against the king of Israel is also mentioned on the Mesha Stele. The fortress's strategic importance is clearly reflected in its dimensions and mighty fortifications, and its location on the road leading south to the Red Sea almost certainly helped defend the region opposite the mountains of Edom.

Another puzzling question has to do with the destruction of the fortress. Who destroyed it, and when? Could there have been two episodes of destruction? Was the fortress ruined during the great earthquake in the reign of Uzziah, mentioned in the prophecies of Amos (1:1), which was a landmark in the history of Judah and an important chronological reference point for contemporaries? Or was it levelled during the violent struggle with Edom?

The Latest Fortress
Seventh-sixth centuries BCE

The latest fortress of the First Temple period was smaller than the middle fortress, and very few remains of it have been preserved. In most places, only the foundation course of its walls has survived, rising to a maximum of three courses in a few places. It is thus impossible to reconstruct its entire plan.
Excavations have revealed the eastern side of the fortress wall, which is 2.25 m wide, with two projecting towers set about 14 m apart. The southeastern tower (11 x 11 m) has been completely uncovered. The northern corner of the northeastern tower, which was built over the casemate wall of the middle fortress, is preserved to a height of approximately 2 m. The pottery recovered from the towers' floors is characteristic of the seventh-sixth centuries BCE, and includes fragments of a jug and a large storage jar.
A very important find was made to the west of the northeastern tower: a circular stone seal, hemispherical in shape, 15 mm thick and measuring 22 mm across.

The seal is skillfully and delicately engraved with two standing male figures, dressed in long robes and apparently bearded. They face each other, with a tall horned altar standing between them. One figure raises a hand in a gesture of blessing, while the other figure extends one arm as though making an offering. Above the figures is a two-line inscription which reads *lmśkt bn wḥzm*, referring to the name of the seal owner. The script has been identified as Edomite by Prof. Joseph Naveh. It is possible that this seal belonged to one of the priests serving in the Edomite shrine uncovered at 'En Ḥaẓeva. One of the figures it depicts bears a close resemblance to a figure on a seal discovered at Ḥorvat Qitmit.

Figure of a warrior on a seal impression
דמות לוחם על טביעת חותם

Schematic reconstruction of the Edomite shrine

שחזור סכמטי של המקדש האדומי

Anthropomorphic cult stands from the Edomite shrine

כנים פולחניים דמויי אדם מן המקדש האדומי

The Edomite Shrine

The crowning discovery of the 1993 excavation season was the group of cultic vessels from the seventh-sixth centuries BCE (Stratum 4). This was found on the northern edge of the site, outside the wall of the middle (Stratum 5) fortress, in a pit dug near the foundations of a small elongated building that seems to have been a shrine. The vessels had been smashed with ashlars of varying size, probably taken from the shrine, which were found lying on top of the vessels. The assemblage included 67 clay objects and seven stone altars of different sizes. Nine types of clay vessels were observed: three anthropomorphic stands, one in the shape of a woman(?) carrying a bowl, similar to those stands found in the Edomite shrine at Ḥorvat Qitmit; eight cylindrical stands – including a stand for a statue – surrounded by relief figures; 15 incense burners in the shape of fenestrated chalices; 11 incense burners decorated with projecting lugs, with the figure of a bull incised on one specimen; 11 small chalices; five perforated cup-shaped incense burners; five small bowls; two clay incense shovels with projecting handles; and two types of pomegranates – three tiny, whole pomegranates and three larger specimens.

Anthropomorphic cult stand
from the Edomite shrine
כן פולחני דמוי אדם מן המקדש האדומי

Particularly impressive are the three anthropomorphic stands. The head and body were made on the potter's wheel; the limbs and facial features – eyes, ears, nose, mouth, and chin, as well as long locks of hair – were made of clay strips modelled by hand and then applied. Traces of reddish-brown paint are visible. Also noteworthy is a tall cylindrical stand decorated with relief figures. The upper part of the stand is adorned with two crudely modeled figures of goats facing each other, with two identical roughly-fashioned clay human figurines between them. Above the figures is a row of lugs and above them, atop the stand, four birds in flight. Traces of the attachment of the figures to the stand are visible.

This assemblage probably dates from the end of the seventh or the beginning of the sixth century BCE. The vessels were gathered in one place, crushed and then hidden in a pit at this time, i.e., at the time of the latest fortress, which was probably built in the reign of King Josiah (640-609 BCE), the last period of florescence and expansion of the kingdom of Judah before the Babylonian conquest. The smashing of the Edomite cultic vessels may have been part of Josiah's wide-ranging religious reforms (II Kings 22-23; II Chronicles 34-35), a process of religious awakening that was sparked by the discovery of a "Book of the Law" in the Temple. At Josiah's command, the Temple was repaired, purified of all traces of idolatry, and emptied of "all the vessels that were made for the Baal, and for the *asherah*, and for all the host of heaven" (II Kings 23:4). This was done in Jerusalem and throughout Judah: the king uprooted the worship of strange gods from Jerusalem and the villages and dismantled the high places found within the boundaries of his kingdom.

The fact that the crushed cultic vessels were found *in situ* with all their fragments in a pit – a sort of *favissa* – indicates that they were deliberately taken there and smashed, reinforcing our hypothesis that this was done as part of King Josiah's reforms.

Analysis of the assemblage is still in its preliminary stages, and the finds will be subjected to close scrutiny in the future. For the time being, the vessels' association with the Edomites rests on the following pieces of evidence:

1. The small elongated building near which the smashed cultic vessels were found bears some resemblance to the Edomite shrine at Ḥorvat Qitmit;
2. The cultic nature of the structure can be deduced from its remains and surroundings: it does not resemble typical residential buildings of this period, and as mentioned above, the remains of a large quantity of cultic artifacts were found nearby.
3. Some of the cultic vessels – in particular the unique anthropomophic stands – recall those found at Ḥorvat Qitmit. It seems likely that the figures modeled in clay represent temple priests or worshippers; in any case, they are not images of gods. The stand decorated with goats and a human figure apparently also has a parallel among the finds from Ḥorvat Qitmit.
4. Several vessels from this assemblage, used for offerings or for burning incense, are made in two parts: the upper part is a bowl featuring a rim decorated with projecting triangles, and a base from which a long, narrow clay pipe protrudes. This pipe fits a wide opening in the lower section of the vessel. The decoration of projecting triangles at the edges of bowls or other vessels is familiar from finds uncovered in the Edomite stratum at Tell el-Kheleifeh and sites in Edom, such as Buseirah. Some of the projecting triangles found on the bowls from 'En Ḥaẓeva are pierced so that an object could be suspended from them – possibly a pomegranate such as those discovered with the cultic vessels. Similar pomegranates were also found at Ḥorvat Qitmit.

At the same time, however, the cultic vessels include numerous incense burners of certain types known from seventh-century sites in Judah and other regions and therefore not Edomite in origin.

Finds from Subsequent Periods

The Nabataean Period and the Early Roman Period First century BCE – first century CE

In the Nabataean and Roman periods, several structures were built above the remains of the fortresses from the First Temple period. At present, we cannot trace the entire plan of the main building of this time, although a row of rooms that probably formed the northern or the southern part of a fortress has been uncovered. Pottery vessels typical of the first century BCE – first century CE were found on the floors of these rooms, including some complete storage jars and decorated vessels, as well as coins bearing likenesses of Nabataean kings. During the Nabataean and Roman periods, an important route connecting ‘En Ḥaẓeva (Tamara) with Aila (Eilat) ran by the fortress. This route passed Mo’a and continued southward along the Arava to Meẓad Be’er Menuḥa, Yotvata, and Ḥorvat Dafit, before finally reaching Aila. The great trade circuit known as the Spice Route probably passed Tamara, too. It began in the Far East, ran through the Arabian peninsula, and continued to Petra and to Gaza on the coast. Both this highway and the involvement of the Nabataeans in the spice trade are mentioned by ancient Greek and Roman historians. Diodorus Siculus (first century BCE – first century CE) often refers to the Nabataeans and the spices that could be purchased in their land, and Pliny (first century CE) describes the routes by which spices were brought from Arabia to the Mediterranean coast.

After annexing the Nabataean kingdom in 106 CE, the Romans continued to use Nabataean trade stations along the Spice Route, and also constructed a chain of forts along the route. These fortresses were in use at least until the middle of the third century CE.

Bronze coin of Constantius II, c. 340 CE

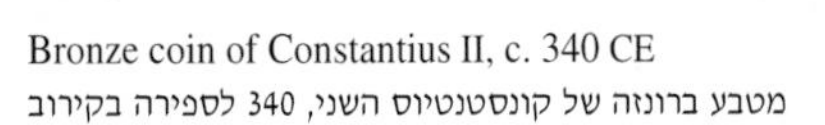

מטבע ברונזה של קונסטנטיוס השני, 340 לספירה בקירוב

Inn or *palaestra*, Roman period

חאן או פאלסטרה, התקופה הרומית

The Fortress from the Late Roman Period Third-fourth centuries CE

The fortress from this period, the largest of its kind known in the Arava, was built in the form of a series of casemate rooms constructed around a large courtyard. Two distinct building phases were distinguished. The first phase, dated to the second half of the third century CE, was a square fortress, measuring about 46 x 46 m. Four projecting towers were added at the end of the third century, probably during the reign of the emperor Diocletian. The rich finds of pottery and coins indicate that the fortress was destroyed in the middle of the fourth century CE – probably by the earthquake of 344 CE – and was reconstructed immediately afterwards. In the second phase, the casemate rooms were rebuilt, and their dimensions altered. Their floors, which were made of beaten earth in the first phase, were now paved with fieldstones. Installations excavated in the fortress rooms have yielded coins and various clay vessels: cooking pots, jugs, juglets, storage jars, and lamps. It appears that the fortress was finally destroyed by the earthquake of 363 CE.

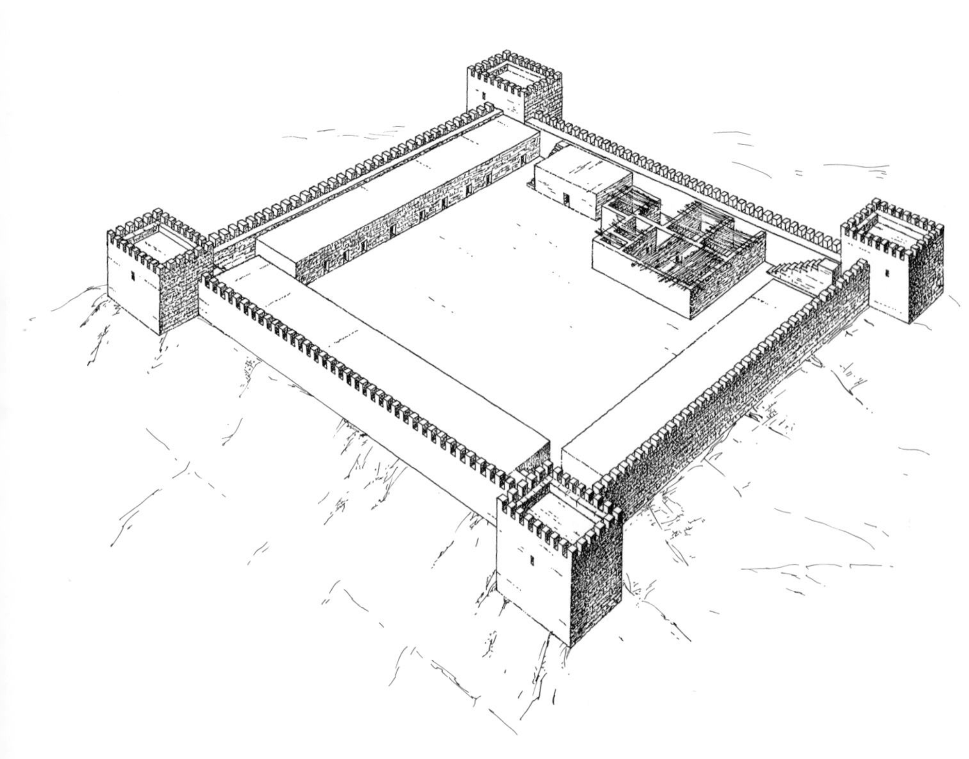

Isometric reconstruction of the Roman fortress
שחזור איזומטרי של המצודה הרומית

The Roman Bathhouse

The remains of a bathhouse and caravanserai/*palaestra*, situated about 50 m to the southeast of the Roman fortress, have been completely excavated. This complex, which measures about 45 x 40 m, was built in the third and fourth centuries CE, and its plan is similar to those of contemporary bathhouses in the south of the country, for example, at Ashkelon, 'Avdat, and Rehovot-in-the-Negev (Qasr Ruḥeiba), as well as Qasr el-Amra in Jordan. During this time, there was also a bathhouse near the fort at Yotvata. The bathhouse contained a lobby, a dressing room (*apodyterium*), a cold room (*frigidarium*) with an inner patio that had a cold water pool (*piscina*), a warm room (*tepidarium*), a sweat room (*sudatorium*), a hot room (*caldarium*) with two hot bathtubs (*alvei*), a hypocaust under-floor heating system, a heating room (*praefurnium*) with a furnace and a copper hot water boiler, an area for storing wood, a latrine, and an outdoor pool (*natatio*). The sophisticated drainage system not only drained the various rooms and pools, but also flushed the latrine, channeling the used water to nearby fields for use in irrigation.

The pools and tubs of the bathhouse, all coated with a special impermeable plaster, were fed by channels and pipes. Most of the floors were paved with stone. The hypocaust consisted of small pillars, built with clay tiles and heated by steam from the hot water boiler.

This elaborate system served to heat the floors (*suspensurae*) of the sweat room and hot room, as well as their walls (by means of flues – *tubuli*). There was space in the heating room for a second furnace, probably as a safeguard in case the main furnace broke down.

Pottery jar, Roman period
קנקן חרס, התקופה הרומית

The Significance of the Remains from the Roman Period

The Roman fortress at Tamara was the largest and most important in the network of fortresses and towers that Diocletian built in the Arava along strategically important roads. This network was designed to defend the settled lands and trade routes at the edge of the desert from the desert dwellers – nomads who lived off the spoils they took from trade caravans and from travelers on their way to the major commercial centers of the eastern empire, such as Jerusalem and Gaza. In the last few decades, excavations have been carried out at some of the forts the Romans maintained along the principal roads of the Negev, the Arava, and the Dead Sea area. Those built along the route from the Dead Sea towards Eilat are all of the same type, characterized by the same floor plan.

In the debris from the eastern gate of the fort near Yotvata, a large limestone slab was recently found; it bears an official Latin inscription from the time of Diocletian, proving that the network of forts dates to this emperor's reign. Other forts along the road from Mamshit to Tamara, which ascended by way of Ma'ale 'Aqrabim, include those at Saif, Rogem Ẓafir, Ḥorvat Ẓafir, and Ẓafir. A stronghold measuring 17 x 17 m was found near the road running along the Dead Sea, which reaches Tamara from 'En Boqeq, and another fortress, measuring 38 x 38 m and known in Arabic as Qasr el-Juhiniyeh, has been discovered to the northwest of Tamara. (The excavator, M. Gichon, identified this latter site with Tamara).

Byzantine and Early Muslim Period
Sixth-seventh centuries CE

When excavations at the site began, a stratum with fragmentary remains of some buildings from the Early Muslim period was found immediately below the surface, underneath existing modern structures. They had been built on top of the ruins of the Roman fortress. Traces of a farm were also found over the remains of the Roman bathhouse.

Bathhouse, Roman period
בית-המרחץ, התקופה הרומית

Pottery oil lamp, Byzantine period
נר חרס, התקופה הביזנטית

Summary

The excavation site at 'En Ḥaẓeva has a rich history encompassing the First Temple period (tenth-sixth centuries BCE), the Nabataean and Roman periods (first century BCE – fourth century CE), and the Byzantine and Muslim periods (sixth-seventh centuries CE). Over this long timespan fortress upon fortress was constructed here – a sign of the region's geopolitical significance and its importance as a trade route hub.

It may be that the two main fortresses at the site – the middle fortress of the First Temple period and the Later Roman fortress – met a similar fate, a result of the site's location on the Syro-African rift. Did the great earthquake in Uzziah's reign destroy the middle fortress, or were the Edomites, Judah's eastern enemies, responsible for its destruction? We shall never be certain of the answer. However, it seems clear in the case of the Roman fortress that both its first destruction, in the middle of the fourth century CE, and its final collapse about twenty years later were the result of earthquakes.

The earliest remains uncovered at the site probably date from the reign of King Solomon (tenth century BCE, Stratum 6). The fortress of this period formed part of a system of forts built by Solomon to maintain the southern border of his kingdom and the important highways of the south. Impressive remains of this network, which also included settlements, have been discovered on the Negev highlands in the last few decades. The plan of the fortress resembles those of some of these forts, and it seems to have met the same fate as they did – destruction in the course of Pharaoh Shishak's invasion of Eretz Israel in the last quarter of the tenth century BCE.

Unlike most First Temple fortresses in the Negev highlands, the 'En Ḥaẓeva site has a new fortress – the middle fortress from the ninth-eighth centuries BCE (Stratum 5) – built on the ruins of the earlier stronghold. There is only one other known contemporary example in the Negev and neighboring regions in which a new fortress was erected on the ruins of its predecessor: Tel Qadesh Barnea. This middle fortress was the largest of its kind in the Arava, extending over approximately one hectare. It was almost as large as the fortified cities of the period, such as that at Tel Beersheba.

Cup-shaped incense burner from the Edomite shrine
ספל-מקטר מחרס מן המקדש האדומי

With a completely different floor plan from that of its predecessor, this fortress was probably constructed in two phases. First, a small stronghold with a four-chambered gate was built on the north-eastern part of the site, covering about a quarter of the final area of the large fortress. This fortress is similar in size and ground plan to that at Tell el-Kheleifeh.
In the second phase, probably dating to the reign of Uzziah or succeeding kings of Judah, the fortress was enlarged to the south and west. The Bible records that these monarchs fortified the kingdom and engaged in war with neighboring nations. It is almost certain that the fortress served both as a strategically important military post on the ancient highway to Eilat and as an administrative center for the entire region. Even in this early period, there may also have been important trade routes here, along which costly wares such as spices from the East were transported.
The discovery of the Edomite shrine and the unparalleled remains of its cultic vessels is both exciting and puzzling. Does this point to an Edomite takeover of the area during the period represented by Stratum 4, or does it just record a brief period of Edomite cultic activity at the site? Alternatively, does it perhaps demonstrate that Edomite culture, building styles, and religious practices infiltrated the region as a result of the development of commercial relations between Judah and Edom during occasional peaceful episodes?
During the Nabataean and Roman periods, fortresses and way stations were erected in the Negev and the Arava in order to protect the important trade routes that crisscrossed the region. Because of the site's proximity to the Petra-Gaza section of the famous Spice Route, it became a roadside stop for the merchant caravans passing by. When the Romans annexed the Nabataean kingdom in 106 CE, they kept up the trade begun by their predecessors. The loaded caravans continued to sway along the roads, and some of the way stations were maintained and incorporated into the Roman military network, alongside newer fortresses. It was under the Romans that the impressive fortress of Stratum 2 was constructed and, when ruined – probably by an earthquake – quickly rebuilt, only to be destroyed again a short time later.
The meager remains from the Byzantine and Early Muslim periods do not suffice to paint a picture of life at the site during these periods, although they do testify to the continued occupation of the site.
Since the site was discovered by A. Musil in 1902, it has undergone further transformations, some of which demonstrate its continued strategic importance despite the tremendous geopolitical changes in the area. In the first quarter of the twentieth century, the Ottoman authorities built a police station there; later, a military outpost was erected on the site by the British and then by the Israelis during the early years of the State.
Once the archaeological excavations have been completed, the Israel Antiquities Authority, with the assistance of the Ministry of Tourism, intends to preserve and reconstruct the site so that it will become a major tourist attraction along the road to Eilat.

התערוכה באדיבות
ידידי מוזיאון ישראל בשווייץ (ציריך)

הקטלוג באדיבות
יהודית ומיכאל שטיינהרדט

מוזיאון ישראל, ירושלים

בדרך לאדום
תגליות מעין־חצבה

רודולף כהן   יגאל ישראל

קטע ממפת מידבא
detail of the Madaba map

מוזיאון ישראל, ירושלים

בדרך לאדום
תגליות מעין־חצבה

אולם ספרטוס, קיץ תשנ"ה

האוצרת האחראית: מיכל דייגי־מנדלס
עוזרת לאוצרת: שלומית כהן

עיצוב הקטלוג: ענת ואן־דייק קיסר
עריכה: תמי מיכאלי
תצלומים: אברהם חי, צילה שגיב, נחשון סנה, קלרה עמית
שרטוטים ואיורים: דב פורצקי

עיצוב התערוכה: הלינה חמו
עוזרת למעצבת: רבקה מאירס

הפקה: רוני ראוזניץ
הפרדות צבעים: סקנלי בע"מ, תל־אביב
לוחות: טפשר ל. 1991 בע"מ, ירושלים
נדפס בדפוס קל בע"מ, תל־אביב
נכרך בכריכיית קורדובה בע"מ, חולון

קטלוג מס' 370
מסת"ב: 6 174 278 965

תוכן העניינים

החפירות באתר נערכו מטעם רשות העתיקות בסיועם של המחלקה לפיתוח התיירות בנגב ומשרד העבודה והרווחה.
עיבוד ממצאי החפירה נעשה בסיוע רשות העתיקות.

חפירת ההצלה הראשונה (1972) נוהלה בידי ד״ר רודולף כהן.

משלחת החפירות (1991-1987) בראשות ד״ר רודולף כהן:
יגאל ישראל, ישעיהו לנדר, פנינה שור ורבקה כהן-אמין.
עוזרת מדעית: פנינה שור.

משלחת החפירות (1994-1992): מנהלי החפירה: ד״ר רודולף כהן ויגאל ישראל.
ניהול שטחי חפירה: עודד פדר, אייל טישלר, אמיר גונן ויעקב קלמן.
עוזרת מדעית: אביבית גרא.

צילומים באתר: נחשון סנה (1987—1994), סנדו מנדריאה (1993—1994).
צילום הממצאים: צילה שגיב.
מדידות ושרטוטים: ישראל וטקין, נסים קוללה, דב פורצקי, רז ניקולסקו וולנטין שור.
רישום הממצאים ורפאות: אולגה שור (1987—1991), שולה בלנקשטיין (1992—1994).
רפאות כלי החרס מן המקדש האדומי: מיכל בן-גל.

השתתפו בחפירות: מתנדבים מהארץ ומחו״ל, קבוצות מתנדבים מארצות־הברית, לרבות ממוסד ״השושנה הפורחת״ בהדרכת ד״ר דה־ויין קוקסון, וכן תלמידים מבית־הספר התיכון המקיף ״דנמרק״, ירושלים, בהנחיית המורה שולמית כהן.

עיבוד החומר וניתוחו: רבקה כהן־אמין (1992-1987); מרב זוארץ (1993—1994).
ציור הממצאים: רחל גראף, מרינה קלר, ליאון ריקמן.
הגדרת השרידים הזואולוגיים: דליה הקר.
הגדרת השרידים הבוטאניים: ד״ר מרדכי כסלו, אוניברסיטת בר־אילן.
בדיקות כלי החרס וזיהוי מוצאם: ד״ר יובל גורן.
פרסומים בעברית: יוסי קוריס.

פתח דבר

תגליות השנים האחרונות באתרי הנגב ודרום הארץ, המיוחסים לשלהי ימי הבית הראשון, מעלות בפנינו תמונה של צמיחה יישובית וכלכלית שהגיעה לשיאה במאה השביעית לפני הספירה. צמיחה זו התאפיינה בבניית תחנות דרכים ומצודות על תוואי הדרכים וגבולות הממלכה וכן בסחר בינלאומי. נראה, שיש להסבירה על רקע הכיבוש של כל מרחב סוריה—ארץ־ישראל בידי אשור ותביעתה לזכות בנתח גדול ככל האפשר מן הסחר עם הדרום. שלטונה הבלתי מעורער של אימפריה זו בכל מרחב עבר הנהר, יחסי השלום עם מצרים וריסון שבטי הנוודים בחבלי הספר אפשרו לשליטיה לקיים מעין "שלום אשורי" במרחב הנתון למרותם. בד בבד עם הצמיחה היישובית והפריחה הכלכלית בחוף פלשת ובנגב יהודה חלו תהליכי שגשוג וצמיחה חסרי תקדים גם בדרום עבר־הירדן, בממלכת אדום.

אדום היא הדרומית שבממלכות עבר־הירדן המזרחי. היא השתרעה מנחל זרד שבצפון ועד ים־סוף שבדרום. במזרח גבלה במדבר הגדול ובמערב — בערבה. עריה החשובות הן בצרה, בירת הממלכה הנזכרת במקרא (בוצירה) והנמצאת בצפון, רקם (היא אולי אום אל־ביארה) במרכז אדום המשקיפה על פטרה, סלע (א־סלע), וכן תימן (יש המזהים אותה עם טווילאן) בדרום הארץ.

ידיעותינו על ממלכה זו שאובות בעיקר מן המקרא ובמקצת מן האנאלים האשוריים. נראה, כי אדמתה הדלה של הארץ הניעה את יושביה לנסות שוב ושוב לחדור לאזורים נוחים יותר לעיבוד. ניסיונות אלה לוו במאבקים חוזרים ונשנים בין ישראל ויהודה לאדום. מערכת היחסים המתוחה ביניהן מתוארת במקרא.

בתקופת ההגמוניה של אשור ניהלה אדום מדיניות דומה לזו של שאר עמי עבר־הירדן וקיבלה עליה את עול השליטים. בתמורה שמרו כנראה יחידות צבא אשוריות על גבולות הממלכה מפני איום ממזרח, וכך גם הבטיחו את נאמנותה. אדום השתתפה בסחר הפורח, שאפיין את התקופה והתאפשר, כאמור, הודות ליציבות המדינית ולפעילות הכלכלית בחסותה של ממלכת אשור.

הפריחה באדום באה אל קצה עם הניצחון הבבלי על אשור וכיבוש כל תחומי עבר הנהר בידי ממלכת בבל. בימי שלטון בבל היה מלך אדום בין המלכים שנועדו עם צדקיהו בירושלים, כנראה לשם קשירת קשר נגד בבל (ירמיהו כז:ג). ברם, לאחר מפלת יהודה בשנת 586—87 לפני הספירה חידשו בני אדום את שאיפתם רבת־הימים לחדור לתחומי יהודה. עובדיה, שניבא לאחר החורבן, הקדיש את נבואתו לתוכחה קשה על אדום, וברבות השנים נעשו האדומים סמל לעם שנוא.

בראשית המאה השישית לפני הספירה חרבה אדום, ככל הנראה בידי הבבלים.
על תרבותם של האדומים ידוע לנו אך מעט, אם כי באחרונה הולכים ונחשפים שרידי הממלכה הזאת בחפירות. בחורבת עוזה, בתל ערוער ובקיטמית נתגלו אוסטרקונים, כתובות מקוטעות חרותות על חרסים וכן חותם, הכתובים בכתב אדומי והכוללים שמות פרטיים ובהם המרכיב התיאופורי "קוס", המציין את שמו של אל האדומים. מעניינים במיוחד הם חרסי ערד, שמהם עולה הד ברור לחדירות האדומים.
באתר עין־חצבה, השוכן על גבעה סמוך לגדתו הדרומית של נחל חצבה והמזוהה עם תמר הנזכרת במקרא (יחזקאל מז:יט), נתגלו שרידי מצודה מימי ממלכת יהודה. אולם, התגלית המרתקת ביותר היא מקדש אדומי מימי הבית הראשון, שנבנה מחוץ לחומות אותה מצודה. כאן נחשפו עשרות רבות של כלי פולחן עשויים חרס ואבן כשהם מנותצים. במלאכת מחשבת, במסירות ובמיומנות רבה רופאו אלפי השברים למכלול מרהיב של כשבעים כלי פולחן נדירים. אלה כוללים דמויות אדם מכוירות, מקטרים, קובעות, מזבחות ורימונים. בולטים ביניהם הכנים הגליליים המכוירים בדמות אדם, המגלמים כנראה את דמותם של הכוהנים או המאמינים, שהציבו את פסליהם במקדש כדי שייצגו אותם לפני האלים שלברכתם ציפו ולחסדם קיוו.
המקדש על כל סממניו זר לתרבות היהודאית, והדמיון בין הכלים שנמצאו בו ובין התגליות מן המקדש האדומי בקיטמית מרתק. התופעה של במות־פולחן על נתיבי הסחר ידועה לנו ממקומות אחרים, וייתכן כי בדומה לקיטמית, אף כאן מדובר במקדש דרכים, שבו עתרו אנשי השיירות לאלים כדי שיעניקו להם את ברכתם במסעותיהם המסוכנים במדבר.
הודות לייחודם ולחשיבותם של הממצאים שנחשפו בחצבה בחרנו להביאם לפני המבקר היישר מאתר החפירות, עוד בטרם זכו למחקר מעמיק ומקיף. המבקר מוזמן אפוא להתלבט כמו החופרים בסוגיות הרבות, אשר עדיין לא נמצא להן מענה.
חלק הארי של התערוכה מוקדש לשחזור המקדש וכלי הפולחן. פרק מיוחד מציג את הפיסול מן המקדש האדומי בקיטמית, המובא בהשוואה לממצאי חצבה. פרק אחר כולל כתובות אדומיות וכתובות הדנות באדום שנחשפו באתרי הנגב, ופרק נוסף מציג את הממצאים מן המצודות של ימי הבית הראשון והתקופה הרומית.

חובה נעימה היא לי להודות לרשות העתיקות ולמנהלה מר אמיר דרורי, אשר נעתרו לבקשתנו להציג ממצאים חשובים אלה בשלב כה מוקדם של עיבודם.
תודה חמה נתונה לד"ר רודולף כהן, מנהל החפירה, ולמר יגאל ישראל, שותפו, וכן למי שסייעו לידם ותרמו להכנת התצוגה. ולבסוף, תודה לצוות מוזיאון ישראל, לאנשי המעבדות אשר הכינו והציבו את השחזור, למחלקת הפרסומים, למחלקת התצוגות ולאברהם חי, אשר צילם את האתר והחפצים לקטלוג.

מיכל דייגי־מנדלס
אוצרת לתקופת הבית הראשון
והתקופה הפרסית

רימוני חרס מן המקדש האדומי
Pottery pomegranates from the Edomite shrine

מבוא

החפירות הארכיאולוגיות בעין־חצבה שבמרכז הערבה העלו בשנים האחרונות ממצאים חשובים רבים, אך מכלול הממצאים הייחודי, המרשים והמעניין ביותר הוא ללא ספק אוצר כלי הפולחן האדומיים, כשבעים במספר, שנחשף בשנת 1993. המכלול כולו נמצא טמון בבור, סמוך למבנה מוארך ששימש כפי הנראה מקדש. הכלים שבו, רובם עשויים חרס ומיעוטם אבן, היו מנותצים לרסיסים במכוון, ונמצאו מתחת לאבני הגזית ששימשו לניתוצם. חלקם דומה מאוד לממצאים האדומיים שהתגלו בחפירות חורבת קיטמית, הנמצאת במרחק 45 ק"מ מצפון־מערב לעין־חצבה. כדי להבין אל־נכון את ייחודו של מכלול זה, נציג אותו כאן בהקשר הכולל של המחקר הארכיאולוגי באתר ונתאר את התקופות השונות בהיסטוריה ארוכת־הימים של המקום: את ראשיתו, את תקופות הזוהר שלו, את חורבנו פעם אחר פעם ואת עלייתו מחדש על בימת ההיסטוריה.

ממצאי החפירות בעין־חצבה מלמדים על אחיזה רצופה באתר במשך מאות שנים, למן המאה העשירית ועד המאה השישית לפני הספירה. בתום תקופת נטישה ארוכה חודשה האחיזה במקום במאה השנייה לפני הספירה ונמשכה עד המאה הרביעית לספירה. התיישבות באתר לפרק זמן קצר היתה גם אחר־כך, במאות השישית והשביעית לספירה. במהלך החפירות הובחנו שש שכבות, מהן שלוש קדומות המיוחסות לימי הבית הראשון:

שכבה 6: המאה העשירית לפני הספירה
שכבה 5: המאות התשיעית והשמינית לפני הספירה
שכבה 4: המאות השביעית והשישית לפני הספירה
שכבה 3: התקופה הנבטית והתקופה הרומית הקדומה - המאה הראשונה לפני הספירה עד המאה הראשונה לספירה
שכבה 2: התקופה הרומית המאוחרת - המאות השלישית והרביעית לספירה
שכבה 1: שלהי התקופה הביזנטית וראשית התקופה המוסלמית הקדומה - המאות השישית והשביעית לספירה

חייו הארוכים של האתר מעידים על חשיבותו הן בימי הממלכה המאוחדת וממלכת יהודה הן בתקופות הנבטית והרומית. מיקומו על גבול יהודה-אדום ועל פרשת דרכים המוליכות מערבה, צפונה־מזרחה ודרומה עשה את האתר למרכז צבאי ומינהלי ולנקודת־מפגש חשובה של אורחות סוחרים. קרבת האתר לארץ אדום, שהשתרעה ממזרח לנחל הערבה, מציבה בפני החוקרים קשיים גדולים, בבואם לקשור בין הממצאים ובין ישויות לאומיות ומדיניות. כך, למשל, קשה להכריע ביזמתו של מי הוקמו המצודות שנחשפו, המיוחסות לימי המלוכה, והאם שימשו, כהשערתנו, את ממלכת ישראל בימי שלמה ואחר־כך את ממלכת יהודה, או היו מרכז אדומי, כפי שמשערים חוקרים אחרים.

תצלום אוויר של האתר
Aerial view of the site

עץ השיזף ליד המעיין
The jujube tree (*Ziziphus spina-christi*)

זיהוי האתר

אתר עין־חצבה שוכן על גבעה ממערב למעיין בשם זה, שהוא אחד המעיינות השופעים בערבה המרכזית. בקרבת המעיין צמחייה מרובה, ובה עץ שיזף בולט, המפורסם בגודלו ובגילו המופלג.
האתר ממוקם בצומת דרכים חשוב מצפון לדרום וממזרח למערב. בימי הבית הראשון שכן על דרך האורך שעברה בערבה והוליכה לאילת ולים־סוף; בתקופה הנבטית - על "דרך הבשמים" שהובילה מהמזרח ועד הים התיכון ועל הדרך החוצה אותה מצפון לדרום שהובילה עד אִילָה (אילת); ובתקופה הרומית עברו בו הדרך מערבה לממשית ולערוער, הדרך לצפון־מזרח אשר פנתה אל אזור ים־המלח ועין־בוקק והלאה אל אזור עין־גדי וירושלים, והדרך שהוליכה דרומה לאורך הערבה ליטבתה ולאזור אילת.
כיום שוכן בקרבת האתר קיבוץ עיר־אובות. כבר במאה התשע־עשרה הבחינו חוקרים שסיירו באזור בשרידים על פני השטח שליד המעיין. א' מוסיל, שביקר במקום בשנת 1902, זיהה לראשונה מבנה של מצודה רבועה שמידותיה 120 צעד לאורך ולרוחב, ולה מגדלי פינה בולטים. עוד הבחין בשרידי מבנה בן חדרים אחדים, שנסמכו אל המצודה מדרום, ובשרידי בית־מרחץ במזרח. בשנת 1930 ניזוקה המצודה ומיתארה המקורי נפגע.

בסיור שנערך באתר שנתיים אחר־כך זיהה פ' פראנק את המצודה כמצד רומי. נ' גליק, שסייר במקום בשנת 1934, סבר שהיה זה ח'אן, אשר הוקם בידי הנבטים והוסיף לשמש בימי שלטונם של הרומאים. א' אלט היה הראשון שהציע לקשור בין איסבה הרומית ועין־ח'וסוב (שם המעיין בערבית) בשל הקרבה הלשונית ביניהן. איסבה נזכרת במקור רומי אחד בלבד, ברשימת צווי המסים מבאר־שבע.
מפנה בזיהוי האתר חל בשנת 1950, כאשר ב' מזר ומ' אבי־יונה מצאו בו מלבד חרסים נבטיים מעוטרים וכלי חרס מן התקופה הרומית־הביזנטית גם חרסים מימי הבית הראשון. בעקבות גילוי החרסים המוקדמים האלה ובהתחשב במיקום האתר על גבולה המשוער של ממלכת יהודה, הציע י' אהרוני לזהותו עם תמר המקראית, הנזכרת בספר יחזקאל בתיאור גבולה הדרומי של ארץ כנען "ופאת נגב תימנה מתמר עד מי מריבות קדש" (מז: יט, מח: כח)*, ועם תמרה הנזכרת בכמה מקורות רומיים. המצודות מימי הבית הראשון, אשר נחשפו בחפירות הארכיאולוגיות הנערכות במקום מאז 1972, וכן ממצאים אחרים מאותה תקופה וממצאים רבים מהתקופות הרומית המוקדמת והמאוחרת מחזקים בעינינו את הצעתו של אהרוני.

על מיקומה של תמרה הרומית אנו למדים מכמה מקורות עתיקים. ב״טבלת פויטינגר״ (מפת הדרכים הרומית מן המאה השנייה או הרביעית לספירה) צוינה תמרה כתחנה על הדרך מירושלים לאילת. סעיף של הדרך הוביל אליה, ומקומה סומן מדרום לים־המלח. ממנה נמשכה דרך אל עבר־הירדן המזרחי.
באונומסטיקון (רשימת האתרים שערך ההיסטוריון אבסביוס, בן המאה הרביעית לספירה) מצוין, כי תמרה מרוחקת כדי יום הליכה מממשית, וכי שוכן בה ״משמר חיילים״.

תמרה מסומנת גם במפת הפסיפס ממידבא שבעבר־הירדן המזרחי, ומוזכרת ב״נוטיציה דיגניטאטום״ (חיבור המפרט את ההיירכיה האזרחית והצבאית באימפריה הרומית ומתוארך לראשית המאה הרביעית לספירה) ובחיבורו של הגיאוגרף פתולמאיוס, בן המאה השנייה לספירה.

----

* בספר מלכים א, ט: יז-יח כתוב, כי המלך שלמה ביצר ״את תמר במדבר בארץ״, אך יש הסבורים, שנפלה כאן טעות וכי לא בתמר הדברים אמורים אלא בתדמור, שהרי בתיאור המקביל בדברי הימים ב, ח: ד כתוב ב״תדמור במדבר״.

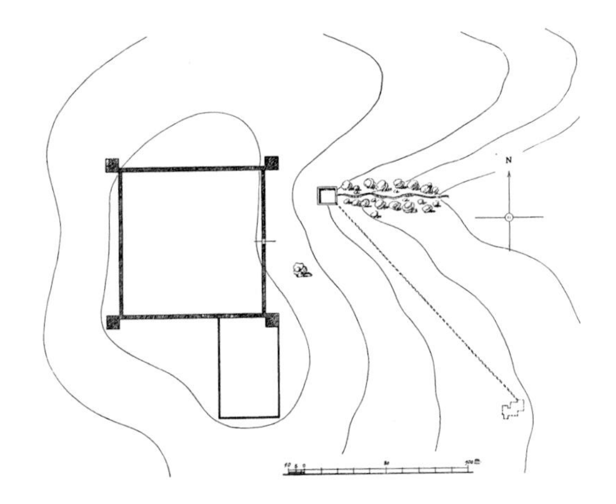

תצלום ורישום של האתר מראשית המאה העשרים, על-פי א׳ מוסיל
Photograph and drawing of the site from the turn of the century by A. Musil

השרידים מימי הבית הראשון

המצודה הקדומה
מתקופת הממלכה המאוחדת
המאה העשירית לפני הספירה

מהחפירות עולה, שבימי הבית הראשון - למן המאה העשירית לפני הספירה ועד חורבן הבית בשנת 587 לפני הספירה - נבנו באתר שלוש מצודות, זו על שרידיה של זו.
הקדומים בשרידיו של האתר הם ככל הידוע שרידיה של מצודה, שהוקמה באמצע המאה העשירית לפני הספירה בזמן שלטונו של המלך שלמה. הם נחשפו בעומק 3.5 מ׳ בערך מפני הקרקע, מתחת למקומו של מכלול השער של המצודה התיכונה (ראה להלן, עמ׳ 20).

היחידה המרכזית במצודה זו היא מבנה מלבני, שמידותיו 13x11.5 מ׳. הבנייה בפינתו הדרומית־מערבית של המבנה מרשימה מאוד: היא עשויה נדבכים של אבני צור גדולות, שהשתמרו לגובה של מטר אחד ויותר.
תכניתה של המצודה דומה לתכניתן של מצודות אחדות בהר הנגב, וסביר להניח שגורלה היה כגורל רבות מהן - חורבן במהלך מסע העונשין של פרעה שישק לארץ־ישראל ברבע האחרון של המאה העשירית לפני הספירה.
על רצפת החדר הדרומי־מזרחי של המבנה נמצא כלי חרס שלם עשוי ביד מן הסוג המכונה ״נגבי״. כלים מסוג זה, המיוחסים לפרק הזמן שמן המאה העשירית לפני הספירה ועד ראשית המאה השישית לפני הספירה, נמצאו בחפירות המצודה בתל אל־ח׳ליפה שממזרח לאילת ובשלוש המצודות בתל קדש ברנע.

קטע מן המצודה מימי המלך שלמה
Remains of the fortress from the days of King Solomon

כלי חרס מן המצודות של ימי הבית הראשון
Pottery from the First Temple period fortresses

המצודה התיכונה מימי ממלכת יהודה המאות התשיעית והשמינית לפני הספירה

מעל שרידי המצודה הקדומה נחשפו שרידיה של מצודה גדולה ורבועה מימי הבית הראשון, אשר השתרעה על כעשרה דונם (100x100 מ׳ בקירוב) והיתה מוקפת חומת־סוגרים, שבשלוש מפינותיה הובחנו מגדלים. שטח המצודה גדול בערך פי ארבעה מזה של המצודות הגדולות בנגב וקרוב לזה של עיר בצורה באותה תקופה, כגון זו שבתל באר־שבע. מידות אלה והעובדה ששער המצודה פונה צפונה מעוררות את השאלה, אם לא היתה זו למעשה עיר מבוצרת בממלכת יהודה, ולא מצודה.

נדבכיה התחתונים של המצודה נבנו באבנים מהוקצעות, ואפשר שעליהם הונחו נדבכים של אבני גזית. אבני הבנייה (אבן גיר רכה) נחצבו בערוץ נחל חצבה, במרחק 3 קילומטרים מהאתר. בחומה החיצונית קדמות ונסגות במרווחים של כ־10 מ׳, ובינה לבין החומה הפנימית חדרי־סוגרים. עוד נחשפו הממגורות, החצר הפנימית של המצודה והשער הפנימי, וכן הסוללה והחפיר שהקיפו אותה מבחוץ. בחדרי־הסוגרים הרבים, שרובם נחשף לאורך חזיתה הצפונית של המצודה - משני צדי השער בן ארבעת התאים - ומיעוטם בשלוש החזיתות האחרות, לא הובחן ריצוף; כמעט כולם מולאו בעפר במכוון. חלק מקירות החדרים נשתמר לגובה ניכר, עד 4 מ׳ ויותר, ואילו חלק אחר נהרס עד היסוד מחמת שוד של אבני הבנייה.

לפי שעה אי אפשר להכריע, בכמה שלבים נבנתה המצודה. עם זאת, נראה כי בתחילה נבנתה מצודה קטנה יחסית, כ-50x50 מ׳ גודלה, אשר השתרעה בשטח שמן השער ועד השורה הפנימית של חדרי־הסוגרים (״מכלול השער״), ואחר־כך הורחב שטחה כלפי מערב וכלפי דרום.

מיתאר המצודה יחיד במינו ומורכב, שכן הוא משקף תכניות של שני טיפוסי מצודות: טיפוס המצודה הרבועה, המוקפת חומה עבה בעלת קדמות ונסגות כדוגמת המצודות בתל ערד, בחורבת טוב ובתל אל־ח׳ליפה; וטיפוס המצודה בעלת המגדלים הבולטים כדוגמת שתי המצודות העליונות בתל קדש ברנע ובחורבת עוזה. יצוין עוד, כי מצודה זו דומה מבחינות אחדות למצודה ההולכת ונחשפת בתל יזרעאל, שהיתה מרכז שלטון ומינהל חשוב בממלכת ישראל. תכניתה דומה גם לזו של המצודה בתל אל־ח׳ליפה (שכבות III-II), ונראה ששתיהן נבנו באותה עת.

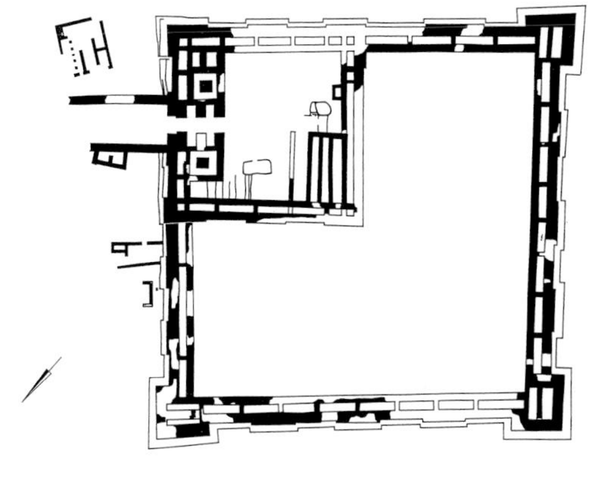

תכנית המצודה התיכונה

Plan of the middle fortress

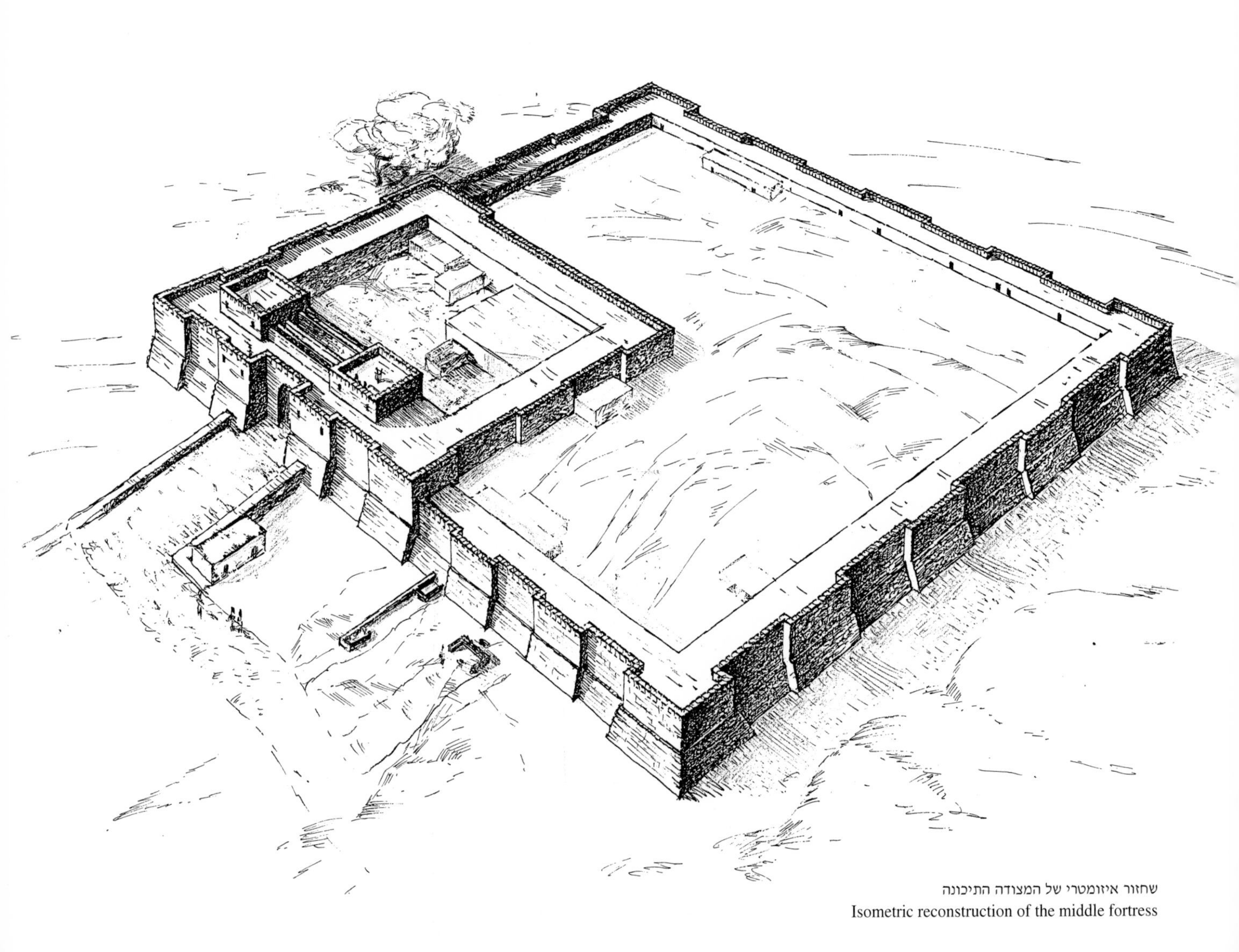

שחזור איזומטרי של המצודה התיכונה

Isometric reconstruction of the middle fortress

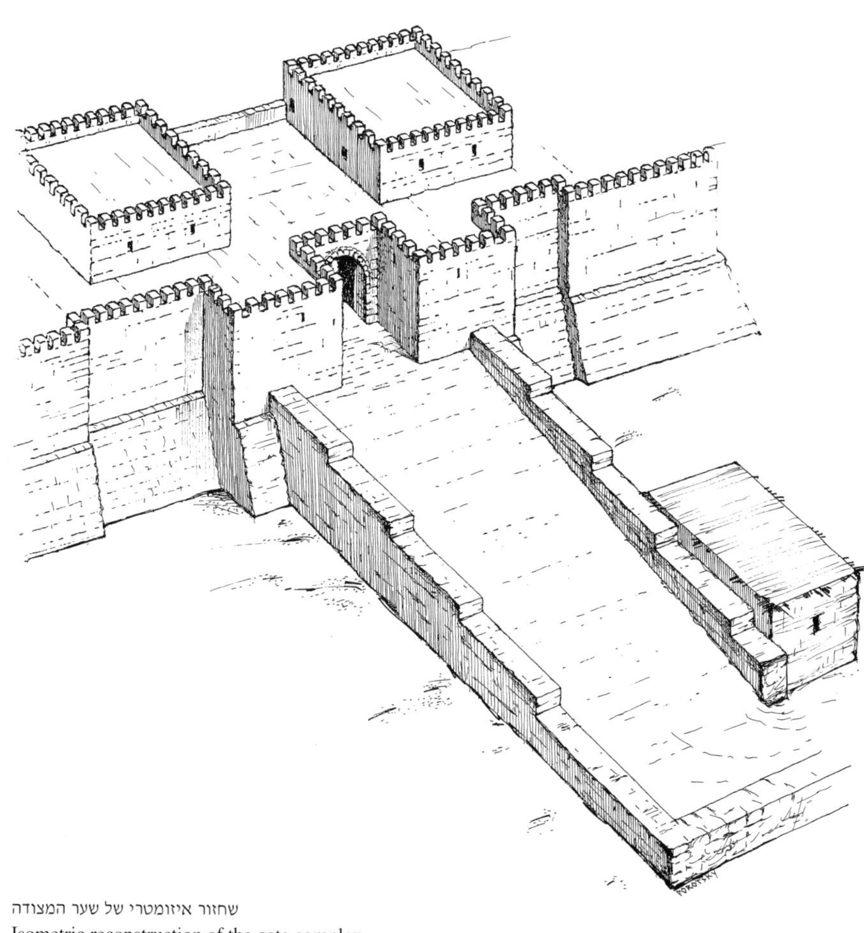

שחזור איזומטרי של שער המצודה
Isometric reconstruction of the gate complex

שער המצודה, ימי הבית הראשון
Fortress gate, First Temple period

מכלול השער
את היחידה הקטנה יחסית, שגודלה 50x50 מ׳ בקירוב והיא חלק מהמצודה הגדולה כינינו ״מכלול השער״. ביחידה זו נחשפו השער עצמו ומבנים אחדים. השער, שמידותיו הן 15x12.8 מ׳ בקירוב, אותר ליד הפינה הצפונית־מזרחית של המצודה. תכנונו האדריכלי נבדל משאר חלקי המצודה; הוא נבנה באבנים מסותתות היטב ונשתמר כדי 3 מ׳ בקירוב. ארבע אומנות השער מתוך שש, ברוחב כ-2.5 מ׳ כל אחת, מרשימות מאוד באיכותן ובהשתמרותן הטובה. מעבר השער רחב בתחילתו והולך וצר לקראת סופו. משני צדיו נבנו שני תאים שמידותיהם זהות (3.3x2.5 מ׳) ואליהם הוסמכו מבחוץ, אחד מכל צד, מעין עמודים איתנים (3x2.5 מ׳ בקירוב). ייתכן, שסביב עמודים אלה נבנו גרמי מדרגות מעץ, אשר הושתתו על בסיסי אבן. השער הוא מטיפוס ארבעת התאים, שהיה שכיח בביצורים בארץ־ישראל במאות התשיעית והשמינית לפני הספירה. חלק מצדו המערבי נהרס עד היסוד בתקופות הנבטית והרומית, ואבניו שימשו את בנאי המצודות שהוקמו באתר בתקופות אלה.
בשני חדרי־סוגרים שממערב לשער נמצאו כלי חרס שלמים אחדים וכן כלי אבן, האופייניים למאות התשיעית והשמינית לפני הספירה: סיר בישול, פכיות, אמפורה וכן פך מטיפוס אכזיב, ולידם קערת אבן, שהיתה מונחת על כן אבן. בתוך הקערה נמצאה קערת חרס ובתוכה נר חרס. לידם היתה אבן מעוגלת, שאולי שימשה מצבה.

המחסנים

בחלקו הדרומי־מערבי של מכלול השער נחשפו שרידיהם של שלושה קירות מקבילים, כנראה של אגף המחסנים, שכלל שלושה חדרים צרים וארוכים. אורך כל חדר 17 מ' בקירוב ורוחבו כ־2 מ'. מסדרון ארוך מבדיל בין יחידה זו לבין המבנים שניצבו מצפון. באגף זה לא הובחנו רצפות, ושרידי החדרים נמצאו מלאים בשפכי עפר.

הממגורות

בקרבת אגף המחסנים נחשפו שתי ממגורות. האחת, בקוטר 3.5 מ' בקירוב, נבנתה באבני גוויל והשתמרה לגובה 0.5 מ'. על קרקעיתה המטויחת נמצאו פך וצפחת מעוטרת גדולה וכן שרידים מפוחמים של גרעיני חיטה ושעורה. בבניית הממגורה האחרת, שהשתמרה לגובה 1.2 מ', שימשו לבני טיט בדופן החיצונית. כתשתית לממגורה שימשו קירות המצודה הקדומה, שהחלל ביניהם מולא אבני צור לא מעובדות.

המחסנים
The storerooms

השערות לעניין תולדותיה של המצודה התיכונה

בימיו של מי ממלכי יהודה הוקמה המצודה הגדולה? אפשר שהיא מימיו של יהושפט, אשר בזמנו "מלך אין באדום נצב מלך" (מלכים א, כב: מח), ואשר ביקש לחזור על הישגי שלמה המלך: "יהושפט עשה אניות תרשיש ללכת אופירה לזהב ולא הלך, כי נשברו אניות בעציון גבר" (שם, שם מט). ואפשר שיש ליחסה למלך אמציה בן יואש, אשר שקד על ביצור ממלכתו, ולאחר שהנהיג רפורמות בצבא יצא למלחמה באדום והביס את צבאה בגיא המלח שבצפון הערבה. אולי ממצודה זו יצא אמציה למאבקו באדומים, ואולי בנו עוזיהו - מלך תקיף ורב־פעלים, אשר "בנה את אילות וישיבה ליהודה" (דברי הימים ב, כו: ב), ביצר את גבולות ממלכתו "ויבן מגדלים במדבר" (שם, שם י), וכאביו לפניו טיפח את צבאו (שם, שם יג) - הוא שהקים אותה.
להשערות אלה יש להוסיף את פרשת מאבקה של ממלכת ישראל במואב. ייתכן, שהמצודה הוקמה בזיקה למסע העונשין נגד מישע מלך מואב (מלכים ב, ג: ד-כז), שמרידתו במלך ישראל נזכרת גם במצבת מישע. חשיבותה האסטרטגית של המצודה משתקפת היטב בממדיה ובעצמת ביצורה. ממקומה על דרך האורך דרומה לים־סוף הגנה קרוב לוודאי על האזור שמול הרי אדום.

קושיה מרכזית נוספת, הניצבת בפני חוקרי האתר, היא פרשת חורבנה של המצודה. מי גרם לחורבן ומתי אירע? ואולי היו שני חורבנות? האם חרבה המצודה בעטיו של רעש האדמה הגדול בימי עוזיהו, שנזכר בנבואת עמוס (א: א) והיה לנקודת־מפנה בתולדותיה של ממלכת יהודה ולציון חשוב בתודעתם של בני הדורות ההם? או שמא נהרסה במאבק אלים עם אדום?

מזבחון חרס מן המצודה התיכונה
Small pottery altar from the middle fortress

המצודה המאוחרת
המאות השביעית והשישית לפני הספירה

המצודה המאוחרת מימי הבית הראשון קטנה בממדיה מן המצודה התיכונה ושרידיה דלים למדי. מן הקירות שרד על־פי־רוב רק נדבך המסד, ובחלקים מעטים שרדו שלושה נדבכים לכל היותר. על כן לא ניתן לעמוד לפי שעה על תכניתו של המבנה כפי שהיה בשלמותו.
בחפירות נחשפו שרידי הצלע המזרחית של חומת המצודה, שרוחבה 2.25 מ׳, והובחנו בה שני מגדלים בולטים, המרוחקים 14 מ׳ זה מזה. המגדל הדרומי־מזרחי, שמידותיו 11x11 מ׳, נחשף בשלמותו. במגדל הצפוני־מזרחי נשתמרה הפינה הצפונית, שנבנתה מעל חומת־הסוגרים של המצודה התיכונה, לגובה של 2 מ׳ בקירוב. על רצפות המגדלים נמצאו שברים של כלי חרס, האופייניים למאות השביעית והשישית לפני הספירה, וביניהם פך וקנקן גדול.

ממערב למגדל הצפוני־מזרחי נמצא ממצא מיוחד: חותם עשוי אבן מעוגלת ומלוטשת, מעשה אמן, בצורת חצי כדור, שקוטרו 22 מ״מ ועוביו 15 מ״מ. על פני החותם הותוו בחריתה מיומנת ומעודנת שתי דמויות ניצבות של גברים לבושי שמלה, ככל הנראה מזוקנים, הפונים זה אל זה, וביניהם מזבח גבוה בעל קרניים. אחת הדמויות נושאת ידה כלפי מעלה לאות ברכה, והאחרת, שידה שלוחה לפנים, נראית מגישה מנחה. בחלקו העליון של החותם כתובת בת שתי שורות: למשכת בנ וחזמ, המייחסת את החותם לבעליו. הכתובת זוהתה בידי פרופ׳ יוסף נוה ככתובת אדומית. חותם זה, שאחת מן הדמויות המתוארות בו דומה לדמות בחותם מחורבת קיטמית, היה אולי ברשותו של כוהן, ששירת במקדש האדומי באתר.

חותם נושא כתובת: (ש)ל משכת בן וחזמ
Seal bearing the inscription: *(belonging) to mśkt bn wḥzm*

המקדש האדומי על רקע חומת המצודה
The Edomite shrine with the fortress in the background

המקדש האדומי

גולת־הכותרת של עונת החפירה בשנת 1993 היתה מכלול כלי הפולחן מן המאות השביעית והשישית לפני הספירה.
המכלול נתגלה בפאה הצפונית של האתר, מחוץ לחומת המצודה התיכונה, בבור בקרבת יסודותיו של מבנה מוארך, שהיה כפי הנראה מקדש. הכלים נותצו על־ידי אבני גזית בגדלים שונים, שפורקו ככל הנראה מן המקדש ונמצאו בחפירה מעל שברי הכלים.
מכלול ייחודי זה מונה שישים ושבעה פריטים מחרס ושבעה מזבחות מאבן שונים בגודלם.
בין פריטי החרס הובחנו תשעה טיפוסים: שלושה כנים דמויי אדם, שמהם אחד מעוצב בדמות נושאת קערה, בדומה לדמויות שנמצאו במקדש האדומי שבחורבת קיטמית; שמונה כנים דמויי גליל, בהם כן לפסל, שבהיקפם עוצבו דמויות בתבליט; חמישה־עשר מקטרים, שנעשו כקובעות בעלות חלונות; אחד־עשר מקטרים, שעוטרו בזיזים בולטים ועל אחד מהם חרותה דמות שור; אחת־עשרה קובעות קטנות; חמישה ספלי מקטר מחוררים; חמש קערות קטנות; שתי מחתות מחרס בעלות ידיות בולטות וכן רימונים משני סוגים: שלושה רימונים זעירים תמימים ושלושה רימונים גדולים.
מרשימים במיוחד שלושת הכנים, שעוצבו בדמות אדם. הראש והגוף נעשו באבניים, ואליהם הוספו איברי גוף וחלקי פנים - עיניים, אוזניים, אף, פה וסנטר, וכן מחלפות שיער - מפיסות טין מעוצבות ביד. על הדמויות ניכרים שרידי צבע חום־אדמדם.
יצוין גם כן גלילי מוארך, שבהיקפו דמויות בתבליט. חלקו העליון של הכן עוטר בדמויות של שתי עזים בעיצוב גס, זו לעומת זו, וביניהן שתי צלמיות זהות בדמות אדם, עשויות טין, גם הן גסות למדי. מעל הדמויות עוצבה רצועה של זיזים בולטים, ומעליה, בראש הכן - דמויות של ארבע יונים במעופן. ניכרים סימני ההדבקה של הדמויות על הכן.
נראה, שזמנו של מכלול זה הוא סוף המאה השביעית לפני הספירה או ראשית המאה השישית. קיבוץ הכלים למקום אחד, ניתוצם והטמנת השברים בבור נעשו, כמשוער, סמוך לכך, דהיינו בתקופת המצודה המאוחרת, שאת בנייתה אפשר לייחס לימי מלכות יאשיהו (640—609 לפני הספירה) - תקופת הפריחה וההתרחבות האחרונה של ממלכת יהודה, קודם לכיבושה בידי הבבלים.
ניתוצם של כלי הפולחן האדומיים נעשה אולי במסגרת הרפורמות הדתיות שהנהיג יאשיהו (מלכים ב, כב-כג; דברי הימים ב, לד-לה).
ביסודן של רפורמות מקיפות אלה היתה התעוררות דתית, שהתחוללה עם מציאתו של ספר התורה בבית־המקדש. במצוות יאשיהו תיקנו את בית־המקדש בירושלים, טיהרו אותו מסממני העבודה הזרה והוציאו מתוכו את "כל הכלים העשויים לבעל ולאשרה ולכל צבא השמים" (מלכים ב, כג: ד). כך נעשה גם בירושלים כולה וברחבי ארץ יהודה: המלך ביער את פולחנות אלוהי הנכר מירושלים ומערי־השדה וניתץ את הבמות בכל גבולות הממלכה.
העובדה, שכלי הפולחן המנותצים נמצאו מרוכזים על כל חלקיהם בבור - מעין גניזה - מעידה, שנלקחו במכוון למקום אחד ונותצו בו, ומחזקת את השערתנו, שהדבר נעשה במסגרת הרפורמות שהנהיג המלך יאשיהו.
מחקרו של מכלול כלי הפולחן עודו בראשיתו, ובעתיד ייבחנו הממצאים בחינה מקפת.
ההשערות בדבר זיקתו של המכלול לאדומים נסמכות לפי שעה על האבחנות האלה:

1. המבנה הקטן המוארך, שבקרבתו נמצאו כלי הפולחן המנותצים, דומה במידת־מה למתחם האדומי המקודש שבחורבת קיטמית.
2. משרידי המבנה ומסביבתם אפשר להסיק על ייעודו הפולחני: אין אלה שרידיו של מבנה מגורים אופייני מתקופה זו, ובקרבתם נמצאו, כאמור, שברים של חפצי פולחן רבים מאוד בריכוז אחד.
3. כמה מכלי הפולחן, ובמיוחד הכנים בדמות אדם שכמותם לא נמצאו באתרים אחרים, דומים לכלים מחורבת קיטמית. ייתכן, שהדמויות המעוצבות בטין הן ייצוגים של כוהני המקדש או של מאמינים, אך מכל מקום אין הן ייצוגים של אלים. גם לכן המעוטר בדמויות תבליט של עזים וביניהן דמויות אדם יש ככל הנראה מקבילה בממצאים מחורבת קיטמית.
4. כלים אחדים במכלול, ששימשו להגשת מנחות או להעלאת קטורת, מורכבים משני

חלקים: בחלק העליון קערה ששוליה
מעוטרים במשולשים בולטים ומבסיסה נמשך
צינור חרס צר ומוארך. צינור זה מותאם
לפתח רחב בחלקו התחתון של הכלי. עיטור
של משולשים בולטים בשולי קערות או
בשוליהם של כלים אחרים ידוע מן הממצאים
שנחשפו בשכבה האדומית בתל אל־ח'ליפה
ומאתרים אחרים באדום, כגון בוצירה.
במשולשים הבולטים שבשולי הקערות יש
לעתים נקב לתליית חפץ - אולי רימון, כדוגמת
רימוני החרס, שנמצאו בין כלי הפולחן.
רימונים כאלה נמצאו גם בחורבת קיטמית.
עם זה, בכלי הפולחן יש מקטרים רבים
מטיפוסים אחדים, שנמצאו באתרים בני המאה
השביעית לפני הספירה ביהודה ובאזורים
אחרים, ואי אפשר ליחסם למקור אדומי.

כלי פולחן מן המקדש האדומי
Cult vessels from the Edomite shrine

פסל אבן, "כן הציפורים" וכנים פולחניים
דמויי אדם מן המקדש האדומי

Stone sculpture, "Bird stand,"
and anthropomorphic cult stands
from the Edomite shrine

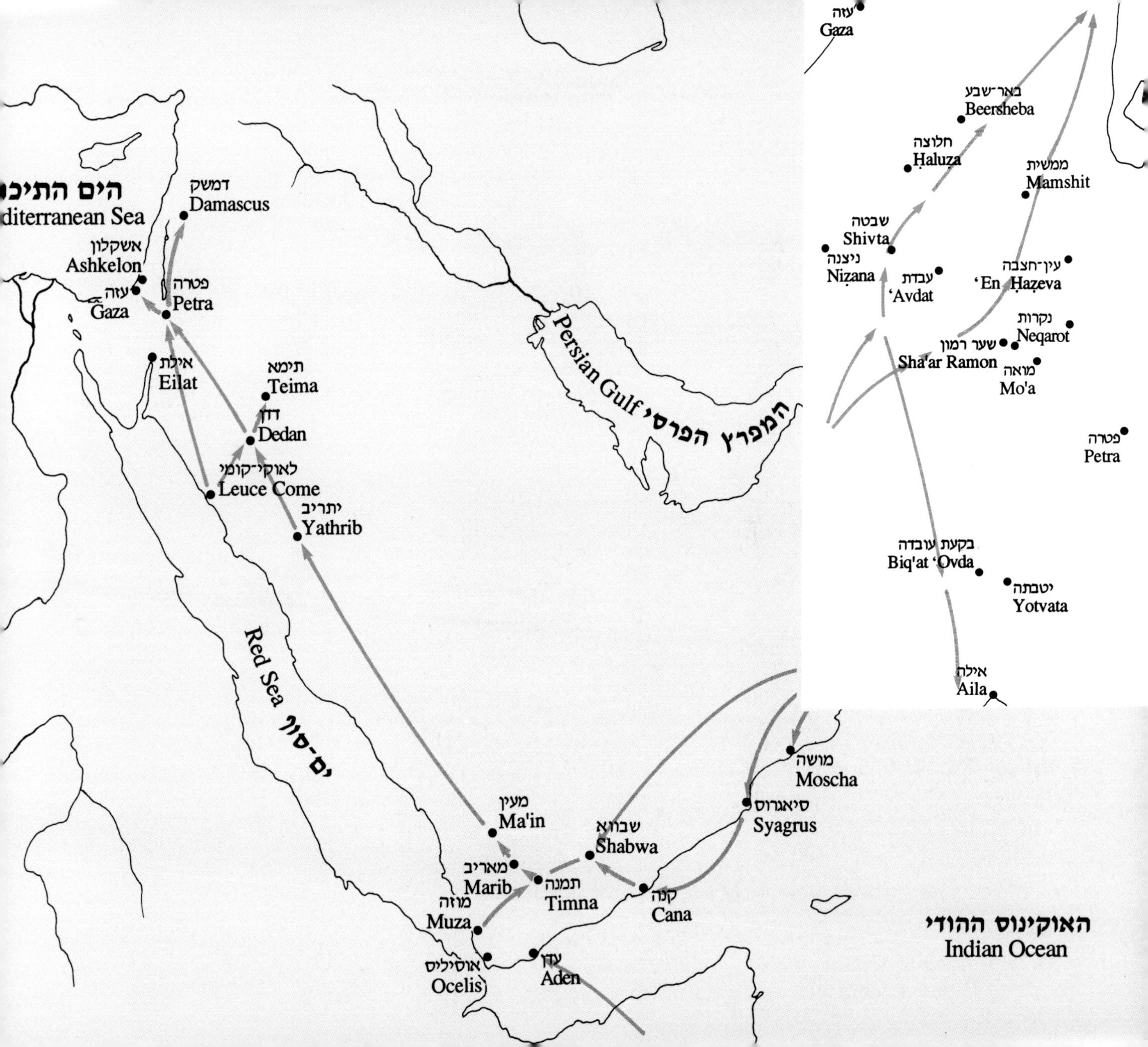

הים התיכו
diterranean Sea
דמשק
Damascus
אשקלון
Ashkelon
עזה
Gaza
פטרה
Petra
אילת
Eilat
תימא
Teima
דדן
Dedan
לאוקי-קומי
Leuce Come
יתריב
Yathrib
Persian Gulf
המפרץ הפרסי
Red Sea
ים-סוף
מעין
Ma'in
שבווא
Shabwa
מאריב
Marib
תמנה
Timna
מוזה
Muza
קנה
Cana
אוסיליס
Ocelis
עדן
Aden
מושה
Moscha
סיאגרוס
Syagrus
האוקינוס ההודי
Indian Ocean
עזה
Gaza
באר-שבע
Beersheba
חלוצה
Ḥaluza
ממשית
Mamshit
שבטה
Shivta
ניצנה
Nizana
עבדת
'Avdat
עין-חצבה
'En Ḥazeva
נקרות
Neqarot
שער רמון
Sha'ar Ramon
מואה
Mo'a
פטרה
Petra
בקעת עובדה
Biq'at 'Ovda
יטבתה
Yotvata
אילה
Aila

ממצאים מן התקופות המאוחרות

התקופה הנבטית וראשית התקופה הרומית
המאות הראשונה לפני הספירה והראשונה לספירה

על שרידי המצודות מימי הבית הראשון הוקמו בתקופות הנבטית והרומית מבנים אחדים. לפי שעה אי אפשר לעמוד על מיתארו של המבנה המרכזי שבהם בשלמותו, אך הובחנה בו שורת חדרים, שכנראה היתה חלקה הצפוני או הדרומי של מצודה. על רצפות החדרים נמצאו כלי חרס האופייניים לפרק הזמן שמן המאה הראשונה לפני הספירה ועד המאה הראשונה לספירה, בהם כמה קנקנים שלמים וכלים מעוטרים וכן מטבעות ועליהם דיוקנאות של מלכים נבטיים.

בתקופות הנבטית והרומית עברה ליד תמרה דרך חשובה, שקישרה את המקום עם אילה (אילת). תוואי הדרך משם והלאה עבר ליד מואה ולאורך הערבה בואכה אילת, דרך מצד באר מנוחה, יטבתה וחורבת דפית. גם נתיב הסחר החשוב, שנודע כ״דרך הבשמים״ עבר כנראה בתמרה. דרך זו, שראשיתה במזרח, הגיעה לחצי־האי ערב והמשיכה אל פטרה ואל עזה שלחוף הים. הן נתיב הסחר הזה הן מעורבותם של הנבטים בסחר הבשמים נזכרים בכתביהם של היסטוריונים יוונים ורומים. כך למשל, ההיסטוריון דיודורוס מסיציליה (המאה הראשונה לפני הספירה - המאה הראשונה לספירה) מציין בכתביו פעמים רבות את הנבטים ואת הבשמים שאפשר להשיג בארצם, ופליניוס (המאה הראשונה לספירה) מתווה את הנתיבים, שלאורכם הועברו הבשמים מערב אל חוף הים התיכון.
לאחר שסופחה ממלכת הנבטים לאימפריה הרומית בשנת 106 לספירה, המשיכו השלטונות הרומיים להחזיק בתחנות המסחר של הנבטים לאורך ״דרך הבשמים״, ואף הקימו עליה שרשרת של מעוזים. מעוזים אלה הוסיפו להתקיים לפחות עד אמצע המאה השלישית לספירה.

קנקני חרס, התקופה הנבטית
Pottery jars, Nabataean period

מפת ״דרך הבשמים״
Map of the Spice Route

המצודה מהתקופה הרומית המאוחרת המאות השלישית והרביעית לספירה

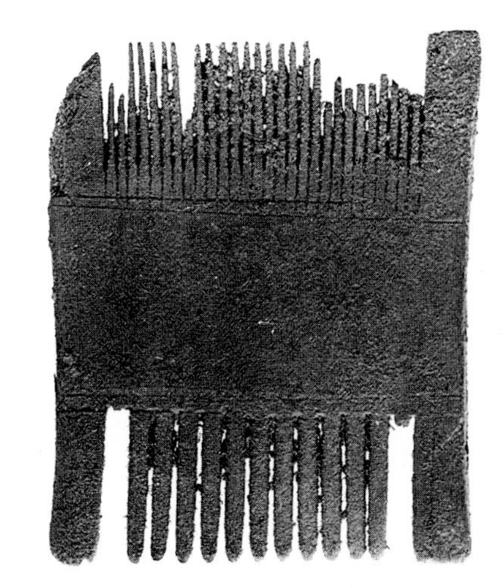

מסרק עץ, התקופה הרומית
Wooden comb, Roman period

המצודה מתקופה זו, שהיתה הגדולה מסוגה בכל אזור הערבה, נבנתה כמערכת של חדרי־סוגרים בהיקפה של חצר רחבה. הובחנו בה בבירור שני שלבי בנייה. בשלב הראשון, המתוארך למחצית השנייה של המאה השלישית לספירה, נבנתה מצודה רבועה, שמידותיה 46x46 מ׳, ובסופה של המאה, ככל הנראה בימי הקיסר דיוקלטיאנוס, נוספו למיתארה הרבוע ארבעה מגדלים בולטים. הממצא הרב של כלי החרס והמטבעות מלמד, שהמצודה חרבה באמצע המאה הרביעית לספירה - כנראה ברעש אדמה שהתחולל בשנת 344 לספירה - ושוקמה מיד לאחר מכן. בשלב השני נבנו מחדש חדרי־הסוגרים ומידותיהם שונו. רצפתם, אשר לפני החורבן היתה עפר מהודק, צופתה באבני גוויל. בחדרי המצודה נחשפו מתקנים ובהם מטבעות וכלי חרס שונים: סירי בישול, פכים, פכיות, קנקנים ונרות. חורבנה הסופי של המצודה היה כנראה ברעש האדמה של שנת 363 לספירה.

בית־המרחץ הרומי

הושלמה חשיפתם של בית־מרחץ ואכסניה, ששרידיהם נמצאו במרחק כ־50 מ׳ מדרום־מזרח למצודה הרומית. בנייתו של מכלול זה, שמידותיו 40x45 מ׳ בקירוב, מיוחסת למאות השלישית והרביעית לספירה, ותכניתו דומה לתכניותיהם של בתי־מרחץ אחרים מתקופה זו בדרומה של הארץ, כגון באשקלון, בעבדת וברחובות בנגב (קצר רוחביה), וכן בקצר אל־עמרה שבעבר־הירדן המזרחי. עוד ידוע, כי בפרק זמן זה פעל גם בית־מרחץ בקרבת המצד ביטבתה.

בית־המרחץ כלל חדר מבוא, חדר הלבשה, חדר קרים ובו חצר פנימית, שבה הותקנה בריכה למים קרים, חדר פושרים (טפידאריום), חדר הזעה (סודאטוריום), חדר חמים (קלדאריום) ובו שתי אמבטיות למים חמים (אלוי), מערכת חימום תת־קרקעית (היפוקאוסט), חדר הסקה ובו כבשן ומתקן לחימום מים מנחושת, שטח לאחסנת עצים, חדר שירותים ובריכה חיצונית (נטאציו). במכלול הותקנה מערכת ניקוז משוכללת, אשר ניקזה את החדרים ואת הבריכות והזרימה מים לשטיפתו של חדר השירותים. מים אלה שימשו בסופו של דבר גם להשקיית השדות הקרובים.

הבריכות והאמבטיות שבבית־המרחץ טויחו בטיח מיוחד, אטום למים, והמים הוזרמו אליהם בתעלות ובצינורות. רוב החדרים היו מרוצפים באבן. מערכת החימום התת־קרקעית הורכבה מעמודים קטנים, שנבנו מאריחי טין וחוממו בקיטור, שנוצר מהפעלתו של מתקן החימום מנחושת. מערכת משוכללת זו חיממה את הרצפות שמעליה (סוספנסורה) בחדר ההזעה ובחדר החמים, ובאמצעות צינורות (טובולי) גם את קירותיהם של חדרים אלה. בחדר ההסקה הובחן גם שטח שיועד לכבשן נוסף, כנראה למקרה של תקלה בפעולתו של הכבשן העיקרי.

משמעותם של השרידים

המצודה הרומית בתמרה היתה הגדולה והחשובה במערך המעוזים באזור הערבה, שהקים הקיסר דיוקלטיאנוס לאורכן של דרכים בעלות חשיבות אסטרטגית. המערך יועד להגן על הארץ הנושבת ועל דרכי הסחר שעל גבול המדבר מפני שוכני המדבר. אלה ניזונו מהשלל שבזזו משיירות הסוחרים ומן הנוסעים, אשר חצו את המדבריות בדרכם אל מרכזי המסחר הגדולים בחבלי המזרח של הקיסרות, כגון ירושלים ועזה. בעשורים האחרונים נחפרו כמה מן המעוזים, שהחזיקו הרומאים לאורך דרכים מרכזיות בנגב, בערבה ובאזור ים־המלח. אלה מהם, שהוקמו על תוואי הדרך מים־המלח דרומה בואכה אילת, הם מטיפוס אחד, ומאפיינים אותם מיתאר ותכנית דומים. במפולת השער המזרחי של אחד מהם, זה שבקרבת עין־יטבתה, נתגלתה באקראי אבן גיר גדולה ועליה כתובת לטינית ממלכתית מימי דיוקלטיאנוס, המעידה על זיקתם של מעוזי הערבה לימיו של קיסר זה. מצדים אחרים על הדרך ממשית לתמרה, שעלתה לאורך מעלה עקרבים, הם מצד סייף, המצד ברוגם צפיר, המצד בחורבת צפיר ומצד צפיר. לצד הדרך, שנמשכה לאורכו של ים־המלח והגיעה לתמרה מעין־בוקק, נתגלה מצד שמידותיו 17x17 מ׳, ומצפון־מערב לתמרה נחשפה מצודה שמידותיה 38x38 מ׳ ושמה הערבי קצר אל־גיוהיניה (מ׳ גיחון, חוקרה של מצודה זו, ביקש לזהותה עם תמרה).

בית-המרחץ, התקופה הרומית
Bathhouse, Roman period

כלי חרס מן המצודה הרומית
Pottery from the Roman fortress

בריכת מי-אגירה
Water reservoir

התקופות הביזנטית והמוסלמית הקדומה
המאות השישית והשביעית לספירה

כשהחלו החפירות באתר, נחשפו בשכבה הקרובה לפני השטח, מתחת למבנים בני זמננו, שרידיהם הקטועים של מבנים דלים מן התקופה המוסלמית הקדומה, אשר נבנו על חורבות המצודה הרומית. על שרידיו של בית־המרחץ הרומי אותרו שרידיה של חווה חקלאית.

סוף דבר

אתר החפירות שבעין־חצבה טומן בחובו גלגולים היסטוריים רבים, למן ימי הבית הראשון (המאות העשירית עד השישית לפני הספירה) ועד התקופות הנבטית והרומית (המאות הראשונה לפני הספירה עד הרביעית לספירה), הביזנטית והמוסלמית (המאות השישית והשביעית לספירה). בפרק זמן ארוך זה נבנו במקום מצודות על גבי מצודות, אות לחשיבותו הגיאופוליטית של האזור ולהיותו צומת חשוב של דרכי מסחר. ייתכן, כי גורלן של שתיים מהמצודות העיקריות באתר - זו התיכונה מימי הבית הראשון וזו מהתקופה הרומית המאוחרת - היה דומה, וסיבתו, מיקום האתר על קו השבר הסורי־אפריקני. האם רעש האדמה הגדול בימי עוזיהו הוא שהחריב את המצודה התיכונה, או שמא האדומים, אויבי יהודה ממזרח, הם האחראים לחורבנה? - זאת לא נדע. שרידי המצודה הרומית, לעומת זה, מלמדים ביתר ביטחון, כי חורבנה הראשון באמצע המאה הרביעית לספירה וחורבנה הסופי כעשרים שנה אחר־כך היו אכן תולדה של רעש אדמה.

השרידים הקדומים ביותר שנחשפו באתר הם ככל הנראה מימיו של המלך שלמה (המאה העשירית לפני הספירה, שכבה 6). המצודה מתקופה זו היתה חלק ממערך המעוזים, שהקים שלמה להגנה ולפיקוח על גבולה הדרומי של ממלכתו ועל הדרכים החשובות בחבלי הדרום. שרידים מרשימים ממערך זה, שהיו בו גם יישובים, אותרו בעשורים האחרונים בהר הנגב. תכניתה של המצודה דומה לתכניתם של חלק מהמעוזים הללו, ונראה כי גורלה היה כגורל רבים מהם - חורבן במהלך מסע העונשין של פרעה שישק לארץ־ישראל ברבע האחרון של המאה העשירית לפני הספירה.
שלא כרובן המכריע של המצודות מימי הבית הראשון בנגב, על חורבות המצודה הקדומה הוקמה מצודה חדשה, היא המצודה התיכונה מן המאות התשיעית והשמינית לפני הספירה (שכבה 5). עד עתה ידוע רק על אתר אחד בנגב ובחבלים הסמוכים לו, שבתקופה האמורה נבנתה בו מצודה חדשה על חורבות קודמתה: תל קדש ברנע.
המצודה התיכונה היתה הגדולה מסוגה באזור הערבה והשתרעה על פני עשרה דונמים בקירוב. שטחה התקרב לזה של ערים בצורות בנות התקופה, כגון זו שבתל באר־שבע. מיתארה היה שונה לחלוטין מזה של המצודה הקדומה, וככל הנראה נבנתה בשני שלבים. תחילה נבנתה בחלקו הצפוני־מזרחי של האתר מצודה קטנה יחסית על פני כרבע

מקטרי חרס מן המקדש האדומי
Pottery incense burners from the Edomite shrine

משטחה הסופי של המצודה הגדולה, ובה שער בן ארבעה תאים. בתכניתה ובממדיה דמתה מצודה זו למצודה שבתל אל־חיליפה.
בשלב השני, בימי המלך עוזיה או יורשיו, הורחבה המצודה דרומה ומערבה. על מלכים אלה מסופר במקרא, כי שקדו על ביצור הממלכה ויצאו למאבקים בעמים השכנים. קרוב לוודאי, שהמצודה שימשה בימיהם הן מאחז צבאי בעל חשיבות אסטרטגית על הדרך הקדומה שהוליכה לאילת, הן מרכז מינהלי של האזור כולו. אפשר שכבר בתקופה זו עברו באזור נתיבי סחר חשובים, שבהם הועברו סחורות יקרות־ערך, לרבות בשמים שיובאו מהמזרח.
גילוי המקדש האדומי, על שרידיו הייחודיים ועל כלי הפולחן ששימשו בו, מלהיב ובעייתי בעת ובעונה אחת. האם הוא מציין את התרחבות תחום השליטה האדומי בפרק הזמן שבו התקיימה באתר המצודה המאוחרת (שכבה 4), או שהיתה זו רק היאחזות אדומית קצרת־ימים שאופיה פולחני? ולחילופין, אולי הוא מעיד על תרבות, סגנון בנייה ופולחן אדומיים, שחדרו לאזור עם התפתחותם של יחסי מסחר בין יהודה לאדום בעתות שלום?
בתקופות הנבטית והרומית נבנו בנגב ובערבה תחנות דרכים ומעוזי צבא, שכן באזורים אלה עברו דרכי מסחר חשובות. קרבת האתר לקטע מנתיב הסחר מפטרה לעזה, שהיה חלק מ״דרך הבשמים״ הנודעת, הפכה אותו לתחנת אירוח של שיירות הסוחרים, אשר נעו על נתיב זה. הרומאים, שבשנת 106 לספירה סיפחו לקיסרות את ממלכת הנבטים, המשיכו את מפעלותיהם. בתקופת שלטונם הוסיפו לנוע בדרכים הללו שיירות המטענים, ונמשכה האחיזה בחלק מתחנות הדרכים, אשר שולבו במערך הצבאי הרומי לצד מעוזים חדשים.
ואכן, בתקופה זו נבנתה במקום מצודה מרשימה למדי (שכבה 2), וכשזו חרבה, כנראה בעטיו של רעש אדמה, כאמור, שוקמו הריסותיה עד מהרה, אלא שזמן לא רב אחר־כך נהרסה גם המצודה שהוקמה תחתיה.
השרידים הדלים מן התקופה הביזנטית ומראשית התקופה המוסלמית הקדומה אינם מאפשרים לשרטט את תמונת החיים באתר בתקופות אלה, אך מלמדים על המשך האחיזה בו.
מאז גילוי האתר בידי א׳ מוסיל בשנת 1902 הוא עבר גלגולים נוספים, שחלקם מלמד על חשיבותו האסטרטגית גם בימינו שבהם חלו תמורות גיאופוליטיות גדולות באזור. ברבע הראשון של המאה העשרים הקים השלטון העות׳מני תחנת משטרה במקום, ובשנות המנדט הבריטי היה בו מאחז צבאי. גם בשנותיה הראשונות של מדינת ישראל מוקם בו משלט צבאי.
משיסתיימו החפירות הארכיאולוגיות באתר, מתעתדת רשות העתיקות בסיוע משרד התיירות (המנהלה לפיתוח תיירות בנגב) לשמר ולשחזר אותו על־מנת לעשותו מוקד תיירות מרכזי על אם הדרך בואכה אילת.

מזבחון אבן מן המקדש האדומי
Small stone altar from the Edomite shrine